DROS YSGWYDD Y BLYNYDDOEDD

Dros Ysgwydd y Blynyddoedd

Hunangofiant Gwilym Roberts

Gwasg Carreg Gwalch

Argraffiad cyntaf: 2024

ISBN clawr meddal: 978-1-84527-717-8

ISBN elyfr: 978-1-84524-616-7

Cyhoeddwyd gyda chymorth Cyngor Llyfrau Cymru

Cynllun y clawr: Eleri Owen

Cyhoeddwyd gan Wasg Carreg Gwalch,
12 Iard yr Orsaf, Llanrwst, Dyffryn Conwy, Cymru LL26 0EH.
Ffôn: 01492 642031
e-bost: llyfrau@carreg-gwalch.cymru
lle ar y we: www.carreg-gwalch.cymru

Argraffwyd a chyhoeddwyd yng Nghymru

Cyflwynaf yr hunangofiant hwn
er cof am fy rhieni, William a Mari Roberts,
a'm brawd, Arthur Wynn Roberts.

Dwi'n ddyledus i Julie Jones am ei gwaith yn teipio'r proflenni,
ac i Iolo Walters am ei waith yn cywiro'r proflenni ac
i Dr Jac L. Williams am fy ysbrydoli i fod yn athro y Gymraeg.

Diolchaf hefyd i Wasg Carreg Gwalch ac i Delyth Medi
am ei gwaith golygu.

Cofiwn

Wrth fynd ar ein hynt
Cofiwn y gwarth ar Epynt,
Wrth fynd heibio Tryweryn
Cofiwn am golli Capel Celyn,
Wrth fynd yn drist draw i Gilmeri
Cofiwn am ladd ein tywysog ni,
Cofiwn, cofiwn ond byw mewn gobaith
Gan aros yn ffyddlon i'n hannwyl heniaith;
Ymlaen, ymlaen yn fanerog lu
Fe ddaw ein dydd eto yn siŵr i chi,
Ymfalchïwn yn arwyr ein gwlad
A safodd yn y bwlch rhag pob brad
O Dafydd Iwan i Ddewi Sant,
Cadwn y fflam ynghyn dros fryn a phant.
Felly llawenhawn yn ein dycnwch ni
I anadlu bywyd yn ein dyfodol ni,
'Hen Wlad fy Nhadau' ac 'Yma o hyd'
Sy'n tanio pob calon wrth ddod ynghyd.

(Cyfansoddwyd y gerdd hon ar ôl clywed am adfer cofeb 'Cofiwch Dryweryn' mewn eitem ar raglen *Heno* ar S4C ym mis Hydref 2020)

Capel Coffa Tryweryn ar lan Llyn Celyn ger y Bala 1986

Cynnwys

Rhagair

Plentyn yr ugeinfed ganrif ydw i – a chanrif y deffroad o safbwynt y Gymraeg a'r ymdeimlad o Gymreictod, ac wedi fy magu â'r awydd i fod yn rhan o Gymru go iawn ac nid rhyw Loegr Fach.

Dechreuodd y deffroad ym 1925 pan sefydlwyd Mudiad yr Urdd a Phlaid Cymru, ac yng Nghaerdydd gwelwyd agor Tŷ'r Cymry yn Heol Gordon yn ardal y Rhath, diolch i haelioni ffarmwr gwladgarol yn y Fro. Bu'r Tŷ hwn yn gyrchfan i gannoedd o Gymry a ddaeth i fyw a gweithio yma a bu'n fiwro priodasol i sawl cwpwl!

Yn anffodus, ro'dd gweddill Cymru yn dueddol o edrych ar Gaerdydd fel lle Seisnigaidd – yn rhywle nad oedd yn deilwng o fod yn brifddinas ein gwlad. Ond camargraff o'dd hynny yn fy marn i. Mae'r Gymraeg wedi ei dysgu yn holl ysgolion y ddinas ar hyd y blynyddoedd. Ym 1949 wedi ymgyrchu caled, agorwyd Ysgol Gymraeg Bryntaf, a hynny o ganlyniad i weledigaeth Ifan ab Owen Edwards a agorodd ysgol Gymraeg yn Aberystwyth a fu'n llwyddiannus iawn ac felly lledodd yr awydd i agor ysgolion tebyg ledled y wlad.

Yng Nghaerdydd sefydlwyd Cylch Meithrin Cymraeg yn festri Capel y Crwys i fwydo disgyblion i'r ysgol Gymraeg o'dd yn tyfu – ac i ateb i'r galw am addysg Gymraeg yn y ddinas wrth i hynny gynyddu. Daeth pwyllgor canolog Ysgolion Meithrin Caerdydd i fodolaeth er mwyn dwyn rhagor o bwysau ar y Cyngor, a'r nod o'dd ceisio sefydlu Cylch Meithrin Cymraeg bron ym mhob ardal yn y ddinas. O'r pwyllgor hwn daeth y syniad o gyfundrefnu addysg feithrin Gymraeg ledled Cymru, ac o ganlyniad, daeth y Mudiad Meithrin i fodolaeth ym 1971.

Ym mhumdegau'r ganrif ddiwethaf dechreuwyd penodi

athrawon ifanc a brwdfrydig i ddysgu Cymraeg yn holl ysgolion cynradd y ddinas. Yn sgil hynny gwelwyd twf yn natblygiad yr Urdd yma ac aeth cannoedd os nad miloedd, o ddisgyblion ysgolion Caerdydd ar gyrsiau Cymraeg i wersylloedd yr Urdd yn Llangrannog a Glan-llyn dros y blynyddoedd.

Yna'r hyn a roddodd hwb anferth i'r Gymraeg o'dd canlyniad darlith radio Saunders Lewis ym 1982, sef 'Tynged yr Iaith', a alwodd am chwyldro os am achub yr iaith rhag mynd i ddifancoll. Ymatebodd nifer o Gymry ifanc i'r her a daeth Cymdeithas yr Iaith i fodolaeth gyda'i pholisi o ymgyrchu'n ddi-drais dros ennill statws i'r iaith ym mywyd cyhoeddus Cymru. Bu'r ymdrechion yn llwyddiannus ond ar gost, gan y carcharwyd ugeiniau o bobl ifanc o ganlyniad i'r ymgyrchoedd.

'Nôl ym 1959 cafwyd hwb arall i'r iaith yma yng Nghaerdydd pan sefydlwyd Aelwyd yr Urdd. Denwyd cannoedd o bobl ifanc i ymuno â'r gwahanol weithgareddau drwy'r iaith, ac o'r Aelwyd hon yr esblygodd Cymdeithas Ddawns Werin Caerdydd a Chlwb Rygbi Cymry Caerdydd.

Yna, pan ddaeth Canolfan yr Urdd i fodolaeth yn Heol Conwy ym Mhontcanna dechreuwyd cynnal dosbarthiadau Cymraeg yn yr adeilad i bobl ifanc a phobl hŷn, ac ym 1973 sefydlwyd yr Wlpan cyntaf yn y ganolfan honno. Hefyd sefydlwyd Cymdeithas y Dysgwyr yn y ganolfan a o'dd yn trefnu gwahanol ddigwyddiadau drwy'r iaith ar gyfer y dysgwyr, ac uchafbwynt y flwyddyn o'dd cynnal Eisteddfod y Dysgwyr gan ddenu dysgwyr i gystadlu nid yn unig o Gaerdydd ond hefyd o'r Rhondda a Phen-y-bont ar Ogwr.

Bellach mae Caerdydd yn ddinas gosmopolitan gyda phoblogaeth o dros 300,000 a hynny'n cynnwys tua 40,000 o siaradwyr Cymraeg. Dros y blynyddoedd mae'r bywyd Cymraeg wedi datblygu a ffynnu ac felly does dim esgus i unrhyw un sy'n medru'r iaith ac sy'n dod i fyw a gweithio yng Nghaerdydd ddweud nad ydy hi'n bosibl i fyw drwy'r Gymraeg yng Nghaerdydd. Chwiliwch a chwi a gewch!

Er gwaethaf fy nghysylltiadau â'r gogledd, Caerdydd ydy fy milltir sgwâr ac ymfalchïaf yn ei llwyddiant i fod yn brifddinas deilwng i'n gwlad. Gobeithio y cewch chi fwynhad rŵan yn darllen hanes fy mywyd hir yn y cilcyn hwn o Gymru!

1
Ble Dechreuodd y Cwbl?

'Bydd yn Sais, 'te!' Dyna eiriau fy mam wrth i mi strancio yn erbyn y drefn yn ein tŷ ni ar fore Sul pan fyddai hi'n estyn am y siart ABC Cymraeg ac yn trwytho fy mrawd a minnau'n y llythrennau. Yna ar ôl cinio bob dydd Sul byddem yn gorfod darllen llyfr Cymraeg yn uchel iddi. Ro'dd y geiriau'n brifo, ac o'u clywed byddwn yn dod at fy nghoed ac yn dilyn y drefn. Chwarae teg i Mam am ei dygnwch yn dal ati o un Sul i'r llall. Nid o'dd addysg Gymraeg ar gael yn yr ardal bryd hynny, ac felly dim ond ar yr aelwyd ac yng Nghapel y Crwys y clywai fy mrawd a minnau Gymraeg. Rhaid mynegi fy niolch i'm rhieni am gadw'r ffydd pan o'dd nifer o rieni Cymraeg y cyfnod yn magu eu plant yn ddi-Gymraeg, gan nad o'dd fawr o bwyslais ar yr iaith yng nghyfnod ein plentyndod. Bu dyfalbarhad fy rhieni yn fodd i mi sylweddoli pwysigrwydd y Gymraeg a dyna fu'n sail i'm hawydd i weld ei pharhad ac yn sylfaen i'r holl egni a dreuliais yn gweithio drosti yn fy milltir sgwâr.

Mae tair trychineb wedi aros yn fy nghof ar hyd fy oes, sef saethu'r Arlywydd J. S. Kennedy yn Nalas, trychineb Aberfan, a'r ymosodiad ar y ddau dŵr yn Efrog Newydd. Clywais am saethu J. S. Kennedy pan o'n i ar fin gadael y tŷ i fynd i'r Aelwyd.

Pan ddigwyddodd y drychineb yn Aberfan ro'n i'n athro yn Ysgol Treláí yng Nghaerdydd, a digwyddodd y drychineb ar ddydd Gwener gwlyb yn y ddinas. Yn yr awr ginio daeth y prifathro i 'stafell yr athrawon i gyhoeddi bod rhywbeth ofnadwy wedi digwydd yn Aberfan, sef bod tip glo wedi llithro ar ben yr ysgol yno. Dychwelais i adre'r noson honno a gwylio'r cyfan ar fy nheledu du a gwyn. Gwelais luniau ugeiniau o ddynion yn chwilio'r domen lo i geisio achub y plant a'r bobl o'dd yn byw mewn rhes o dai ger yr ysgol. Flynyddoedd wedyn, a hithau'n Basg, – es i â ffrind o'r enw Ricardo Rogers o Batagonia i ymweld â'r fynwent ble y claddwyd y rhai a laddwyd yn y drychineb. Ro'dd gweld y rhesi o gerrig beddau gwynion yn olygfa dorcalonnus, ond gan fod Sul y Blodau newydd fod, ro'dd y fynwent yn llawn blodau. Pan ddigwyddodd y drychineb gweithiai fy mrawd yn Adran yr Heolydd a Phontydd yn sir Forgannwg ac fel rhan o'i waith cafodd ei anfon i Aberfan i helpu gyda'r dasg o glirio'r safle. Bu'n dawedog iawn ynglŷn â'r hyn a welodd ar hyd ei oes.

Yna'r ymosodiad ar y ddau dŵr yn Efrog Newydd. Ro'n i'n digwydd bod yn y tŷ y diwrnod hwnnw ac yn eistedd o flaen y teledu yn barod i wrando ar anerchiad Tony Blair yng Nghynhadledd y Blaid Lafur. Ond cyn iddo allu codi ar ei draed i siarad daeth rhywun i'r llwyfan a sibrwd yn ei glust. Yna, aeth y teledu yn fyw i Efrog Newydd – o'dd yn dangos y tŵr cyntaf eisoes ar dân, a gwelwyd ail awyren yn taro'r ail dŵr. Dangoswyd pobl yn neidio i'w marwolaeth o'r ail dŵr, ond ni ailddarlledwyd y golygfeydd hyn wedyn. Ro'dd y cwbl yn arswydus ac yn anodd credu bod hyn wedi digwydd.

Dyna dair trychineb fydol a gafodd effaith barhaol arnaf i. Ond rhywbeth a fyddai wedi bod yn drychineb i mi'n bersonol fyddai colli'r Gymraeg yn ardal fy magwraeth, ac oni bai am ymdrechion pobl fel fy rhieni mewn oes pan nad o'dd y Gymraeg yn bwysig i neb, gallai hynny fod wedi digwydd.

Felly yn ôl â ni i'r dechrau. Ces i fy ngeni gyda'r nos ar y 12fed o Chwefror, 1935, yn 55 Thornhill Road yn Llanisien ar gyrion Caerdydd, yn ail fab i William a Mary Roberts (Lewis gynt). Gallaf hawlio fy mod yn frodor o Gaerdydd felly er i mi gael fy magu yn Rhiwbeina, yn yr hen sir Forgannwg. Ar achlysur fy ngenedigaeth yn ôl y sôn sgrifennodd fy nhad at ei chwaer, Bet, i ddweud y newydd am y babi a'i fod yn gorwedd yn ei grud fel *chocolate soldier*! Flynyddoedd wedyn deallais mai

55 Thornhill Road, lle'm ganwyd ym 1935

55 Thornhill Road – 1990, pan o'n i'n hanner cant a phum mlwydd oed!

dyna'r glasenw a roddwyd ar filwyr y Rhyfel Byd Cyntaf oherwydd lliw eu gwisgoedd milwrol. Mae'n rhaid fy mod i'n eitha tywyll fy ngwedd i gael fy ngalw'n *chocolate soldier*. Cafodd Wynn fy mrawd hŷn ei eni ym mis Rhagfyr 1931, ac felly ro'dd o dair blynedd yn hŷn na mi.

Brodor o Benrhyndeudraeth yn yr hen sir Feirionnydd o'dd fy nhad, a fy mam yn enedigol o Nantperis yn yr hen sir Gaernarfon ond wedi ei magu yn y Bargoed ac yng Nghaerdydd. Nid o'dd y ddau yn nabod ei gilydd hyd nes iddyn nhw gyfarfod yng Nghaerdydd – mewn parti, yn ôl y sôn, yn nhŷ Bob Lloyd Griffiths, (o Dyffryn ger Harlech gynt), yn Lôn Isa yn Rhiwbeina. Maes o law daeth o'n was priodas i 'nhad pan briododd â fy mam yng Nghapel Beulah yn y pentref ym mis Awst 1930.

Fel y soniais eisoes, un o Benrhyndeudraeth o'dd fy nhad ac yn fab hynaf i chwarelwr. Cofiaf un o'i hanesion pan o'dd o'n yr ysgol gynradd ym Mhenrhyndeudraeth a'r prifathro'n annerch y disgyblion un diwrnod gan ddweud yn Saesneg: 'A big key has been lost in the village and the finder of this key will receive a reward.' Bu'r plant yn llawn brwdfrydedd ar ôl y cyhoeddiad hwn gan fynd o gwmpas yr ardal yn chwilio am gi mawr! Prin o'dd Saesneg plant y pentre'n y dyddiau hynny, ac yn ystod yr Ail Ryfel Byd, daeth nifer o blant cadw i'r pentref, a buan iawn y daethon nhw'n rhugl yn y Gymraeg! Felly, gallwch weld pa mor Gymreig o'dd gwreiddiau 'nhad a does ryfedd iddo fod mor frwd i sicrhau addysg Gymraeg i'm brawd a minnau.

Yn un ar ddeg oed, enillodd ysgoloriaeth i fynychu Ysgol Ramadeg y Bermo, ac un o'i gyfoedion yn yr ysgol honno o'dd y cerddor a'r cyfansoddwr Meirion Williams. Dangosai fy nhad addewid yn ei waith ysgol ond er i'r prifathro ymbil ar ei rieni, bu'n rhaid iddo adael yr ysgol yn bymtheg oed gan nad o'dd y teulu'n gallu fforddio ei gadw yno. Felly, aeth i weithio fel clerc yng Ngwaith Powdwr Cooks ym Mhenrhyndeudraeth.

Tra o'dd fy nhad yn gweithio yn y Gwaith Powdwr, daeth un o'i ffrindiau o'dd eisoes yn gweithio yng Nghaerdydd ato a sôn wrtho fod 'na swydd yn mynd yn y Welsh Town Planning Company and Trust, a'r swyddfa yn 6 Cathedral Road. Dyma 'nhad yn cynnig am y swydd a'i chael. Yn un ar bymtheg oed mi gododd ei bac am y de gan letya ar aelwyd teulu Bartlett yn ardal y Rhath a dod yn gyfeillgar ag Alex, mab y teulu. Buon nhw'n chwarae snwcer â'i gilydd am flynyddoedd lawer yn y neuadd filiards a safai ar y rhiw o'dd yn arwain at y *flyover* yn Gabalfa.

Gŵr digon diymhongar o'dd fy nhad, ac er na fuodd erioed yn geffyl blaen yn unman, arhosodd yn Gymro i'r carn ar hyd ei oes. Gweithiodd yn galed i wella ei stad drwy fynychu dosbarthiadau nos i gymhwyso i fod yn gyfrifydd siartredig. Fel gogleddwr ro'dd o'n frwd dros bêl-droed ac yn cefnogi tîm pêl-droed Caerdydd yn ogystal â chwarae snwcer a bowlio yng nghlwb y Rec yn Rhiwbeina ymhen blynyddoedd.

Ro'dd digon o hiwmor yn perthyn iddo. Cofiaf i mi ddychwelyd adre un noson a 'nhad yn wên o glust i glust gan adrodd hanes dyn yn ei ffonio ac yn gofyn, 'Is that William Roberts the plumber?' a 'nhad yn ateb, 'Certainly not. This is a private number.' Yna ymhen munud neu ddau dyma'r ffôn yn canu eto a'r un dyn yn gofyn yr un cwestiwn, a 'nhad yn dweud, 'You're through to New York now!' 'Good God,' meddai'r dyn a rhoi'r ffôn i lawr yn glep!

Ro'dd fy nhad yn dod adre i Riwbeina bob amser cinio – ac yn rhoi pàs i'w gydweithwyr yn y swyddfa, a Dr T. Alwyn Lloyd, y pensaer o'dd â swyddfa uwchben swyddfa 'nhad. Un bore poeth o haf dyma gofalwr y swyddfa'n dod at fy nhad ac yn gofyn iddo a hoffai gael sachaid o faw eliffant ar gyfer y riwbob yn ei ardd gan fod syrcas yn digwydd bod yng Ngerddi Soffia y tu ôl i'r swyddfa. Derbyniodd fy nhad y cynnig, a gofynnodd i'r gofalwr roi'r sach ym mŵt y car o flaen y swyddfa, a hynny yn yr haul! Pan ddaeth yn amser cinio aeth pawb i'r car (o'dd erbyn hyn yn drewi dipyn) a dyma nhw'n edrych ar ei gilydd – gydag un yn agor ffenest ac un arall yn codi ei esgid – ond fy nhad yn dweud dim, dim ond chwerthin i fyny ei lawes! Ei bennaeth yn y cwmni o'dd Edward Hall Williams, Cymro Cymraeg o Ddolgellau yn wreiddiol,

Fy nhad o flaen ei swyddfa yng Nghaerdydd

cyn i'r teulu symud i fyw i Wrecsam. Ar ôl dod i Gaerdydd bu'r teulu'n byw yn Rhiwbeina cyn symud i fyw i'r Barri. Ro'dd ei feibion, Richard ac Eryl, yn yr ysgol efo'r newyddiadurwr adnabyddus Gareth Jones a laddwyd yn 30 oed dan amgylchiadau amheus ym Mongolia ym 1935 – blwyddyn fy ngeni i! Daeth fy nhad yn ysgrifennydd ac yn ymddiriedolwr i'r Cwmni ar farwolaeth ei bennaeth ym 1954. Bu yn y swydd honno nes iddo farw'n annisgwyl ym 1973. Pan o'dd o yn y swydd, cafodd y pleser o gyhoeddi i denantiaid Pentre'r Gerddi yn Rhiwbeina fod yr ymddiriedolaeth yn dod i ben, ac felly byddai'n bosibl i'r tenantiaid brynu'r tai am £200. Ro'dd y tenantiaid yn methu â chredu eu lwc!

Ro'dd fy mam yn un o bedair o ferched a chafodd hi a'i chwaer hŷn Jinnie (Jane) eu geni ar ffarm y Fron yn Nantperis, a'r ddwy arall, sef Luned a Gwenhwyfar, eu geni yn y Bargoed yng nghymoedd y de wedi i'r teulu symud i fyw yno. Bu farw Gwenhwyfar, ei chwaer, yn 16 oed, ac mae hi wedi ei chladdu ym mynwent Eglwys y Santes Fair yn yr Eglwys Newydd efo'i rhieni. Defaid a gadwyd yn Nantperis a bu Nain a'i chwaer a'i brawd – Linor a Robin (Bob) – yn gyfrifol am y ffarm. Am ryw reswm penderfynodd Bob ymfudo i Awstralia gan adael ei ddwy chwaer ar y ffarm. Priododd Linor ac aeth i fyw i Lanrug i dyddyn o'r enw Parc Isa, a phriododd Nain efo William Lewis o Landwrog a symud wedyn i'r Bargoed, lle bu Taid yn gweithio fel swyddog diogelwch yn un o byllau glo'r ardal.

Erbyn i'r teulu gyrraedd y Bargoed, ro'dd y Saesneg wedi disodli'r Gymraeg, er bod y capeli Cymraeg yn dal yn eitha cryf, ac ymaelododd y teulu â Chapel Calfaria. Bu Jinnie a Mam yn mynychu Ysgol y Merched yn Hengoed cyn i'r teulu godi pac unwaith eto a mynd i fyw i 173 Heol Caerffili yn Llwynfedw yng Nghaerdydd. Aeth fy mam i'r coleg i ddysgu teipio â llaw-fer cyn cael swydd fel swyddog yn y Lleng Brydeinig. Ond ar ôl priodi ym 1930, daeth yn wraig tŷ llawn amser i fagu fy mrawd a minnau. Ro'dd Mam yn ymwybodol iawn o Seisnigrwydd yr ardal felly, a hynny'n ddigon o reswm iddi hithau, fel fy nhad, fod eisiau ymladd dros y Gymraeg a sicrhau parhad yr iaith yn yr ardal.

Wynn fy mrawd a minnau – 1937

Ro'dd fy mam fel fy nhad yn berson eitha swil ac felly nid amlygodd ei hunan yn ystod ei hoes, a'r cartre a'r teulu o'dd popeth iddi. Ro'dd hi'n hoff o wau a smygu ambell sigarét tra ro'dd fy nhad yn smygu fel simne! Ymaelododd â changen leol y Townswomen Guild ac yn ystod y rhyfel bu'n helpu draw yn Ysbyty'r Eglwys Newydd yn cynnig ymgeledd i filwyr clwyfedig a ddeuai yno i wella ar drên o ganol Caerdydd. Bu hi a gwragedd eraill y pentre'n gweithio mewn cwt yng ngwaelod cae'r ysgol leol a'u gwaith o'dd gosod stribedi o guddliw ar roliau o ddeunydd ar gyfer y fyddin. Dysgodd Mam sut i yrru car y teulu, a rhywbeth prin yn y cyfnod hwnnw o'dd gweld merched yn gyrru. Austin 7 bach o'dd y car cyntaf a chofiaf i'r car fod bron â thagu ar y rhiw serth allan o Ddinas Mawddwy i Ddolgellau pan o'n ni ar y ffordd i ymweld â theulu fy nhad ym Mhenrhyndeudraeth! Ro'dd fy mam a'i chwiorydd yn siarad Saesneg â'i gilydd o dro i dro dan ddylanwad eu magwraeth yn y Bargoed siŵr o fod, ond ar ei haelwyd ei hun y Gymraeg a siaradwyd, a doedd wiw i'm brawd a minnau yngan gair o Saesneg yn ei chlyw!

Ro'dd pwyslais ar ddysgu yn ein tŷ ni. Prynwyd piano gan

Fy rhieni yn nhre Caerfyrddin ym 1954

fy rhieni a pherswadiwyd fy mrawd a minnau i gael gwersi gan wraig o'dd yn aelod o Gapel y Crwys ac yn dod o sir Fôn yn wreiddiol, a byddem yn mynd ar ein beiciau i'w thŷ i gael gwersi'n wythnosol. Yna, bob awr ginio ar ôl i ni ddod adre o'r ysgol leol, byddai mam yn ein sodro o flaen y piano i wneud ein hymarferion cyn bwyta. Unwaith pwysodd arnaf i baratoi i sefyll arholiad gradd un a chytunais innau'n anfoddog i wneud hynny, ac er mawr cywilydd i mi a siom i Mam, mi fethais yr arholiad! Ond chware teg iddi wnaeth hi ddim edliw, ond daliais i gael gwersi wythnosol gan wraig yn y pentre nes fy mod i tua dwy ar bymtheg oed, a bu'r ffaith mod i'n gallu canu'r piano yn gymorth i mi ymhen blynyddoedd yn fy ngyrfa fel athro Cymraeg.

Yn ystod tymor yr haf yn aml, byddem yn mynd fel teulu i aros at Taid a Nain ym Mhenrhyndeudraeth ac ro'dd hyn yn gyfle i wella safon Cymraeg llafar fy mrawd a minnau, gan fod yr ardal fwy neu lai'n uniaith Gymraeg ar y pryd. Ond un tro, penderfynodd fy nhad y byddem yn mynd ar y trên o Gaerdydd i aros mewn gwesty yng Nghaernarfon. Yn ystod y siwrnai mynegodd fy mam ei bod am fynd i'r tŷ bach ond nid o'dd cyfleusterau ar y trên. Pan arhosodd y trên mewn rhyw orsaf, dyma fy nhad yn gofyn i'r gard os o'dd hi'n bosibl i Mam fynd i'r tŷ bach yn yr orsaf. Cafodd ganiatâd, ond yn anffodus cychwynnodd y trên hebddi. Sôn am banig! Pan arhosodd y trên wedyn mewn gorsaf arall, llwyddwyd i anfon neges at 'Mrs Roberts from Cardiff' i ddal y trên nesa i Fangor! Bu fy nhad, fy mrawd a minnau'n aros am hydoedd cyn i Mam ymddangos! Wrth i ni gael tacsi wedyn i Gaernarfon, sylw fy nhad wrth i ni gyrraedd pen y daith o'dd: 'Wel dyna'r pipi drutaf a fu erioed!' Druan o Mam!

Dydw i ddim yn cofio llawer am fy nain ym Mhenrhyndeudraeth a dim ond un digwyddiad sy'n aros yn fy nghof amdani, a hynny pan basiodd Wynn fy mrawd yr arholiad *eleven-plus* bondigrybwyll i fynd i Ysgol Ramadeg yr Eglwys Newydd. Ro'n ni'n aros yn nhŷ Nain ar y pryd ac un diwrnod, pan o'n ni'n eistedd yn y gegin gefn gyferbyn â Nain, dyma hi'n mynd i boced ei ffedog ac yn estyn hanner sofren i fy mrawd yn rhodd iddo am wneud cystal yn yr arholiad! Erbyn i mi sefyll yr un arholiad ro'dd hi'n ei bedd, felly, welais i'r un geiniog, heb sôn am hanner gini, wedi i mi lwyddo i gael mynediad i Ysgol Ramadeg y Bechgyn ym Mhenarth!

Ro'dd Nain a Taid Caerdydd yn rhan bwysicach o fy mywyd o ddydd i ddydd, yn bennaf oherwydd eu bod nhw'n byw mor agos. Enwyd eu tŷ ar Heol Caerffili yn Llwynfedw yn 'Nantperis', ac yn ystod plentyndod fy mrawd a minnau, buon ni'n ymwelwyr cyson â'r tŷ a chael croeso twymgalon bob tro. Y cof cyntaf sydd gen i o ymweld â'u cartre ydy pan o'n i'n ifanc iawn ac yn dal i fyw yn ein tŷ o'r enw 'Yr Erw', lle ces i fy ngeni ar Thornhill Road. Symudom ni i Riwbeina pan o'n i'n dair oed, ac felly ro'n i mewn coets yn mynd o'r Erw i Nantperis; ond cofiaf Mam yn fy nghodi i edrych drwy gil y drws i glamp o sgubor o'dd yn sefyll ger safle'r archfarchnad Lidl ar Gaerffili Road. Does gen i ddim cof o beth o'dd yn y sgubor! Nes ymlaen, pan o'dd fy mrawd a minnau yn ein harddegau, yn aml ar foreau Sadwrn byddem yn seiclo o Riwbeina i Nantperis i wneud mân jobsys i Nain, megis torri priciau coed tân, tacluso'r ardd ac ati,

Nain a Taid 'Nantperis' yn Llwynfedw

ac yn wobr, byddem yn profi darnau o'i chacen wy flasus. Weithiau byddai fy mrawd a minnau yn picio lawr y ffordd i gornel Caerffili Road i wylio'r gof wrth ei waith yn yr efail yno. Rhes o siopau sydd yno heddiw.

Jane Griffith o'dd enw morwynol Nain ac mae rhai aelodau o'i theulu'n gorwedd ym mynwent yr eglwys yn Nantperis. Ro'dd hi'n wraig ddeallus a darllengar, gyda llond cwpwrdd o lyfrau Cymraeg, a'i gŵr William Lewis, yn dipyn o gymeriad ac yn fyr ei dymer o dro i dro o ganlyniad iddo gael ei wenwyno gan nwy yn y Rhyfel Byd Cyntaf lle gwasanaethodd fel milwr. Ond ro'dd yntau, fel fy nhad, yn llawn hiwmor, a chofiaf ei glywed yn adrodd straeon am ei gyfnod yn y rhyfel. Un ohonyn nhw o'dd hanesyn am griw o gatrawd y Bantoms yn cael eu dal mewn ffrwydrad yn y ffosydd. Chwythwyd nhw i fyny i'r awyr ac ni ddisgynnon nhw yn ôl i'r ddaear wedyn tan amser brecwast bore trannoeth!

Bu Nain yn aelod brwd o Blaid Cymru a gwisgai fathodyn triban y Blaid ar label ei chôt gyda balchder, ac ro'dd copi o'r llun *Deffroad Cymru* gan yr arlunydd Christopher Williams o Faesteg ar wal ei chartref. Adeg etholiadau byddai Nain yn helpu yn swyddfa'r Blaid ac yn mynychu cyfarfodydd cangen Caerdydd yn rheolaidd. Ro'dd hi'n gapelwraig selog hefyd ac yn aelod ffyddlon o'r Cymrodorion, ac arferai gerdded o'i chartre i Gabalfa bob Sul i ddal y bws troli efo seti pren caled ac anghyfforddus i Gapel y Crwys ar waelod Whitchurch Road ble o'dd y teulu'n addoli.

Daeth cwpwrdd llyfrau Nain yn eiddo i fy mam ar farwolaeth Taid a Nain, ac yn y cwpwrdd hwnnw o'dd copi o lyfr R. Bryn Williams, *Cymry Patagonia*. Pan o'n i tua un ar bymtheg oed, es i noson lawen yn Ysgol Uwchradd Cathays. Y gŵr gwadd o'dd Evan Thomas, golygydd *Y Drafod*, papur newydd Cymraeg y Wladfa ym Mhatagonia. Dotiais at ei Gymraeg a siaradai efo acen Sbaenaidd. Ond hwnnw fu ei ymweliad cyntaf ac olaf â Chymru. Bu farw yn 32 oed gan adael gwraig a phlant, ychydig wedi iddo ddychwelyd i'r Wladfa. Ar ôl bod yn y noson lawen dyma ddarllen llyfr R. Bryn Williams, a byth ers hynny, ymddiddorais yn hanes y Cymry draw ym Mhatagonia. Ni feddyliais i erioed bryd hynny y byddwn yn hedfan draw i'r Wladfa i ddysgu Cymraeg yno am flwyddyn ym 1991! Ond aeth y flwyddyn yn dair blynedd yn y diwedd!

Yn ogystal â derbyn cwpwrdd llyfrau Nain daeth peipen gopr tua throedfedd o hyd efo clamp o nyten bob pen yn eiddo i'r teulu. Dywedir bod y beipen wedi dod o drên bach yr Wyddfa wedi'r daith gyntaf i'r copa ym mis Ebrill 1896. Cafwyd damwain ar y ffordd 'nôl o'r copa a lladdwyd dyn lleol pan foelodd y trên. Llwyddodd y gyrrwr â'r taniwr i neidio allan mewn pryd. Cafwyd ymchwiliad i achos y ddamwain cyn ailagor y rheilffordd ym mis Ebrill 1897. Ro'dd teulu Nain yn byw yn ardal Llanberis adeg y ddamwain ac felly mae'n ddigon posibl bod hanes y beipen yn wir. Ond pwy a ŵyr?

2
Newid Aelwyd, Newid Ysgol, Profi Cymuned

'Gorau Tarian, Cyfiawnder' – dyna oedd arwyddair Ysgol Rhiwbeina, ac ro'dd hi'n ysgol gymharol newydd a agorwyd ym 1928. Saesneg o'dd iaith yr ysgol ond does gen i ddim cof fy mod i wedi cael anawsterau deall yr athrawes – nid fel fy mrawd sy'n cofio iddo fynd yn ddisgybl i Ysgol Llwynfedw pan o'dd y teulu yn byw yn Llanisien, yn Gymro bach uniaith ac yn deall dim ar y dechrau.

Un o'r gorchwylion cyntaf ar ôl symud i Riwbeina o'dd ymweld â'r ysgol gynradd i gofrestru fy mrawd a minnau, a chofiaf fynd yn llaw fy mam efo'm brawd i'r ysgol gan edrych ymlaen at gychwyn yno. Ond am siom – ro'n i yn rhy ifanc ar y pryd a bu rhaid i mi ddychwelyd adre i aros nes fy mod i'n

Dosbarth y babanod (Ysgol Gynradd Rhiwbeina)
– fi yn y rhes flaen, pedwerydd o'r dde – 1940

ddigon hen! Ond daeth y diwrnod mawr yn fy hanes o'r diwedd a chefais fynd i ddosbarth yn ysgol y babanod. Yr unig beth a gofiaf am y cyfnod cyntaf yn yr ysgol ydy'r athrawes yn rhoi pecynnau o fyrbryd o'dd ein mamau wedi'u paratoi, a byddai hi'n eu rhoi ar silff y ffenestr tan amser chwarae!

Dim ond llond dwrn o blant Cymraeg eu hiaith o'dd yn yr ysgol a chafwyd un wers o Gymraeg bob wythnos gan athrawon o'dd yn ddi-Gymraeg! Ro'dd fy mrawd a minnau yn llaw chwith a gorfodwyd fy mrawd i 'sgrifennu â'i law dde. Ond erbyn i mi gyrraedd yr ysgol, ni chefais fy ngorfodi i newid llaw – a hwyrach mai dyna pam mae fy llawysgrifen mor flêr ac anodd ei darllen bellach! Er bod naws Seisnig i'r ysgol, dathlwyd Gŵyl Ddewi yno, ac un tro cofiaf ganu deuawd yn Gymraeg efo Rhiannon Owen, merch W. R. Owen o'dd yn gweithio i'r BBC. Er hyn, dysgais 'God Bless the Prince of Wales' a'r gerdd 'Oh to be in England, now that April's here', a'r emyn 'Summer Suns are Glowing' yno hefyd.

Erbyn heddiw, mae'r pen ac inc wedi eu disodli gan y beiro a'r cyfrifiadur, ond tra o'n i'n yr ysgol, y pen ac inc a'r *fountain pen* a phapur sugno i sychu'r inc a'r blobs o'dd ar gael! Felly, ro'dd rhaid llenwi'r potiau inc efo inc du neu las allan o jwg. Bob pnawn Gwener byddai'r athro neu'r athrawes ddosbarth yn trefnu casglu'r holl botiau o'r desgiau ac yn penodi monitor i ddod i'r ysgol dipyn ynghynt ar fore Llun er mwyn llenwi'r potiau a'u gosod ar y desgiau. Ro'dd pawb am fod yn fonitor inc, neu yn fonitor llaeth hyd yn oed, er mwyn cario cratiau o laeth o ddosbarth i ddosbarth ac osgoi ambell wers!

Miss neu Mrs Evans o'dd enw un o'm hathrawon dosbarth. Un diwrnod rhoddwyd prawf i ni, ac o'dd rhaid i ni ysgrifennu ein henwau ar frig y papur. Gwnes gamgymeriad gan 'sgrifennu fy enw a rhoi 'Gwilmy' yn lle 'Gwilym' ar y papur! Fore trannoeth dyma'r athrawes yn fy ngalw'n 'Gwilmy' er mawr ddifyrrwch i'r disgyblion eraill, ac aeth wythnosau heibio cyn i bawb anghofio am f'enw newydd! Wnes i fyth gamsillafu f'enw ar ôl hynny! Hefyd am ryw reswm, bues i'n araf yn dysgu sut i ddweud yr amser, ac felly o dro i dro byddai'r athrawes yn fy anfon i edrych ar y cloc ar wal y coridor y tu allan i'r neuadd er mwyn i mi ddychwelyd i'r wers i ddweud yr amser wrthi. Sefais o flaen y cloc fwy nag unwaith mewn penbleth, a dim clem gen i beth o'dd yr amser. Ond o'n i'n ddigon call i aros yno nes i ryw ddisgybl hŷn ymddangos er mwyn holi, a dychwelyd i'r wers a chael canmoliaeth gan yr athrawes am ddweud yr amser yn gywir!

Ro'n i tua thair oed a'm brawd Wynn yn chwech oed pan symudodd y teulu i fyw i 23 Lôn Isa ym Mhentre'r Gerddi yn Rhiwbeina. Sefydlwyd y pentre 'nôl yn ugeiniau'r ganrif ddiwethaf fel pentre cydweithredol efo pwyllgor o'r tenantiaid yn gyfrifol am ei weinyddu. Cadeirydd y pwyllgor hwn ar un adeg o'dd y bardd a'r llenor W. J. Gruffudd, ac fel gogleddwr fe fu'n gyfrifol am ddefnyddio 'lôn' yn hytrach na 'stryd' neu 'heol' ar enwau strydoedd y pentre, sef 'Lôn Isa', 'Lôn y Dail', a 'Lôn Uchaf'. Yr Athro Economeg Stanley Jevons ym Mhrifysgol Caerdydd o'dd prif ysgogydd sefydlu'r pentre hwn, a hynny dan ddylanwad mudiad yn Lloegr a ddatblygodd bentrefi yn Letchworth a Hamstead yn Llundain, gyda'r bwriad o roi tai fforddiadwy i'r gweithwyr yn y gymdeithas, ac amgylchiadau ffafriol i'r tenantiaid. Daeth nifer o bobl o'r byd academaidd a llenyddol i fyw i Riwbeina, a dechreuwyd galw'r lle yn Athen Cymru. Cafwyd hefyd enw sarhaus ar y lle, sef 'Debters Retreat', gan fod nifer o denantiaid yn methu talu'r rhent ac yn gwneud *night flits* oddi yno! Un o'r rhain, yn ôl Dr Iorwerth Peate yn ei lyfr *Rhwng Dau Fyd*, o'dd Dewi Emrys – y bardd anghonfensiynol a fu'n lletya yn y pentre am gyfnod. Aeth oddi yno heb dalu am ei le ond gadawodd un o'i gadeiriau eisteddfodol i wraig y llety yn dâl! Mae'n debyg i'r gadair gael ei rhoi fel rhodd i Gapel Beulah yn y pentre!

Erbyn i ni gyrraedd 23 Lôn Isa, ro'dd oes aur y cyfnod wedi dod i ben a llawer o'r academwyr wedi symud ymlaen yn eu gyrfaoedd. Ond ro'dd rhai yn dal i fyw yn y pentre pan o'n i'n blentyn, yn eu plith pobl fel Dr Iorwerth Peate, Ffransis Payne, Doctor T. Alwyn Lloyd, y pensaer, a Tom Bassett, cyhoeddwr cylchgrawn *Y Llenor* ar ran gwasg Hughes a'i Fab Wrecsam. Sefydlwyd y cylchgrawn gan W. J. Gruffudd. Cafodd Tom Bassett a'i wraig Fanw (Myfanwy) eu geni a'u magu ym Mro Morgannwg ac yn siarad y Wenhwyseg, a phleser pur o'dd sgwrsio â nhw a chlywed y dafodiaith frodorol.

Ro'dd hi'n syndod faint o bobl o'dd yn galw heibio'r tai bryd hynny. Byddai'r dyn bara yn dod heibio'n gyson efo ceffyl a chart, ac os byddai'r ceffyl yn gwneud ei fusnes o flaen y tŷ byddai'n rhaid rhedeg i nôl rhaw i rofio'r dom i fwced ar gyfer rhoi maeth i'r rhiwbob yng ngwaelod yr ardd! Nid oedd y ffasiwn beth â gwres canolog bryd hynny ac felly byddai'r lorri lo yn galw o dro i dro, a dyn hogi cyllyll, a'r organ efo mwnci bach arni. Byddai'r Sioni Winwns o Lydaw yn galw yn ei dro efo rheffynnau o nionod yn hongian dros gyrn ei feic. Ymwelydd arall a fyddai'n rhoi difyrrwch i ni'r plant o'dd y dyn glanhau simnai – pinacl ei ymweliad o'dd mynd allan o'r tŷ i weld y brws yn dod i'r golwg drwy'r corn simnai.

Ro'dd y Saboth Cymreig yn dal i fodoli yn ystod fy mhlentyndod a byddai tawelwch mawr yn yr ardal bob dydd Sul. Ychydig o bobl fyddai ar y strydoedd heblaw eu bod yn mynd i'r capel neu'r eglwys, ac ro'dd y siopau i gyd ynghau. Fyddai Mam byth yn golchi dillad ar y Sul a'u hongian ar y lein, a chawsem ni'r plant ein cyfyngu i'r ardd i chwarae ar wahân i fynychu'r ysgol Sul. Dywedodd rywun unwaith, fod hyd yn oed y cŵn yn parchu'r Saboth y dyddiau hynny!

Yn wahanol i blant heddiw, ro'dd llawer mwy o ryddid gennym ni'r plant, a chan fod Rhiwbeina'n bentre go iawn yn ystod fy mhlentyndod, ro'dd pawb mwy neu lai yn nabod ei gilydd, yn arbennig os o'n nhw'n byw ym Mhentre'r Gerddi. Cawsom grwydro fel y mynnem ar droed neu ar gefn beic – ar y Sadyrnau a gwyliau'r ysgol. Byddem yn dringo coed, adeiladu 'dens', chwarae cuddiad yn y Coed Hirion neu ar ben Bryn y Wenallt tu cefn i'r pentre, neu fentro ar gefn ein beics i Lanisien a Llys-faen. Yn yr haf hoffem fynd ar sgowt i Barc y Rhath, neu i nofio ym mhwll nofio awyr agored caeau Llandaf, gan fynd ymhellach i Ynys y Barri ar y bws i'r Knap i nofio yn y pwll awyr agored yno bob hyn a hyn, â'r dŵr yn y pwll yn iasoer! Hefyd, mynd i sinema'r Monico yn y pentre ar foreau Sadwrn i weld ffilmiau cowbois a chartwnau. Byddem yn chwarae gwahanol gemau ar iard yr ysgol ac ar y stryd, ac yn sglefrolio yn y pentre gan mai ychydig o geir o'dd o gwmpas yn y cyfnod hwnnw. Tybed faint o blant heddiw sy'n chwarae Bomberino, Pigeonfly, Tip it, Mob, Hopscotch ac ati? Byddai tymhorau chwarae concyrs a marblis yn dwyn ein bryd, a byddai termau megis *bolji* am farblen fawr yn gyffredin, a byddem yn dweud *lagai soft* neu *lagai hard* wrth fwrw'r farblen gyntaf ar ddechrau'r chwarae. Gêm arall yn boblogaidd o'dd *gob stones*, a byddai'r merched wrth eu boddau'n sgipio ac yn adrodd rhigymau wrth neidio dros y rhaff ac ati.

Bob bore Sadwrn arferem ni fechgyn y pentre ddal y bws i fynd i'r dre er mwyn mynd i bwll nofio Guilford Crescent ar waelod Churchill Way. Do'dd dim gwersi fel heddiw i ddysgu popeth dan haul, ac felly dysgais fy hun i nofio drwy fynd i'r pwll o un Sadwrn i'r llall, a'r gamp o'dd neidio o'r bwrdd plymio – gydag ambell un yn gwrthod mentro ac yn derbyn gwawd gan bawb arall! Yna, ar ôl nofio byddem yn crwydro'r dre a phrynu ambell rôl fach a mynd am sbec o gwmpas siop Woolworths cyn mynd i un o'r arcedau i yfed *sarsaparilla* yn boeth neu'n oer mewn caffi yno. Pan o'n ni'n mynd i Guilford Crescent, nid o'dd Churchill Way wedi cael caead ar y *feeder* (sef rhan o gynllun y gamlas); digwyddodd hynny wedyn. Erbyn heddiw mae'r caead wedi ei godi, a'r ardal wedi ei datblygu yn lle hamdden.

Un digwyddiad a roddodd lawer o bleser i griw fy mrawd a minnau o'dd pan welodd fy mrawd hysbyseb yn y *Sunday Express* a brynai fy nhad yn wythnosol yn hysbysebu *rubber dinghies* am bum punt yn siop fawr Gamages yn Llundain. Ro'dd pum punt yn arian mawr bryd hynny, ac wn i ddim ble ffeindiodd fy mrawd yr arian i archebu dingi. Edrychodd fy mam yn syn pan gyrhaeddodd parsel mawr i 23 Lôn Isa wedi'i gyfeirio at 'Wynn Roberts'! Aethom â'r dingi mewn sach draw i gamlas Melingriffith, ei bwmpio ag aer cyn mynd i badlo ynddo ar hyd y gamlas. Unwaith ar ôl bod yn y dingi dyma grafangu i fyny ochr goediog ar lan y gamlas a darganfod clamp o garreg fawr yno. Ro'dd y demtasiwn i ddadwreiddio a rholio'r garreg yn ormod i ni, ac felly dyma bwyso a gwthio nes ei rhyddhau. Dechreuodd dreiglo i lawr y llethr, dwmbwr-dambar, gan gyflymu nes iddi godi i'r awyr a syrthio i'r gamlas gan dasgu llaid a dŵr dros wal wyngalchog tŷ ar ochr y gamlas! Dyma ni'n chwerthin, ond nid am amser hir. Mewn dim ymddangosodd gŵr blin o'r tŷ efo gwn dwbl baril ac anelodd a thanio nes ein bod yn gallu clywed sŵn pelenni'r gwn yn rhwygo dail y coed uwch ein pennau! Yn ein dychryn, dyma ni'n gwasgaru fel cwningod ar ffo, a chuddio am beth amser, cyn mentro i nôl y dingi a sleifio adre. Ni ddywedwyd gair wrth ein rhieni am y digwyddiad cyffrous hwn yn ein hanes – rhag ofn y byddai'r dingi'n cael ei wahardd o'r tŷ!

3
Cysgod yr Ail Ryfel Byd

Daeth y rhyfel i fwrw ei gysgod dros y wlad er fy mod i'n rhy ifanc mewn gwirionedd i fod ag ofn a phryder am yr hyn o'dd yn digwydd o dan ein trwynau. Ro'dd Rhiwbeina ar gyrion Caerdydd – yn ddigon pell o ganol y ddinas a'r dociau i osgoi llawer o'r difrod a'r dinistr a achoswyd gan y bomio gan yr Almaenwyr. Disgynnodd ambell fom strae ar Riwbeina gan fod uned *search light* ar ben bryn y Wenallt a ffatri ROF (Royal Ordnance Factory) ger Rhiwbeina. Disgynnodd un bom mewn cae ger gardd farchnad teulu'r Pugh, a buon ni, blant y pentre, draw i weld y difrod a rhyfeddu at faint y twll lle ffrwydrodd y bom. Gwelsom dai gwydr yr ardd farchnad wedi gwyro un pen, a'r gwydr yn y ffenestri'n deilchion.

Wedi cyrch ar ddociau Caerdydd a'r ardaloedd gerllaw, byddem ni'r plant yn aml yn codi shrapnel ar y ffordd i'r ysgol. Byddem yn clywed grŵn yr awyrennau Almaenig yn hedfan uwchben Rhiwbeina ar eu ffordd i'r dociau, ac mae'r sŵn yn dal yn fy nghlustiau hyd heddiw. Pan fyddai seiren yn seinio i'n rhybuddio fod na berygl, byddai Mam yn deffro fy mrawd a minnau a byddem yn eistedd ar glustogau o dan fwrdd derw cadarn yn y lolfa yn darllen comics nes i'r seiren *all clear* seinio.

Ar gyfer y blacowts gosodwyd llenni trwchus dros ffenestri'r tai fel nad o'dd llygedyn o olau i'w weld yn unman. Penodwyd nifer o ARPs (Air Raid Wardens), gan gynnwys fy nhad, a'u gwaith o'dd cerdded o gwmpas y pentre i sicrhau bod y tai yn dywyll, a bod yn barod i ddiffodd tanau pe bai bomiau'n syrthio ar y pentre. Defnyddiwyd Ysgoldy Capel Beulah yn y pentre fel lloches i'r bobl o'dd wedi colli eu tai i'r bomio yn y ddinas, a byddai bysiau deulawr yn cludo'r anffodusion i gael brecwast ac ymgeledd yn yr ysgoldy cyn trefnu llety dros dro iddyn nhw. Ro'dd pawb yn cael eu hannog i ymdrechu'n galed i helpu ei gilydd adeg y rhyfel a gofynnwyd i ni, blant yr ysgol, gasglu papur arian er mwyn talu i brynu *spitfire*! Ar fore Llun byddem yn ymgasglu ar iard yr ysgol i edrych ar siart efo saeth arni o'dd yn codi wrth i'r arian am y papur arian ddwyn ffrwyth! Wn i ddim faint o arian a godwyd, ond dyna o'dd ein cyfraniad i'r *war effort*!

Dosbarthwyd mygydau nwy i bawb yn yr ysgol a threfnwyd pe bai cyrch awyr gan yr Almaenwyr yn ystod y dydd, y byddem ni, y plant agosaf at yr ysgol, yn mynd ag un neu ddau o'r plant pellaf o'r ysgol efo ni i'n cartrefi ar ganiad seiren. Cafwyd ambell ymarfer a mawr o'dd y miri wrth redeg o'r ysgol i lawr yr *ash path* i'n cartrefi ym Mhentre'r Gerddi. Daeth dogni bwyd a dillad i fodolaeth ac ro'dd pob teulu'n derbyn llyfrau dogni yn llawn cwponau i brynu nwyddau angenrheidiol. Byddai Mam yn ffrio sbam ffrityrs yn aml, ac yn rhyfedd iawn, mae tuniau o sbam ar gael i'w prynu o hyd yn y siopau. Byddai Mam hefyd yn gweu matiau ar weill pren trwchus efo stribedi o hen byjamas wedi'u gwneud yn belenni! Gwnaeth set o lenni gan ddefnyddio llinyn gwyn unwaith! Ro'dd pobl yn ddyfeisgar iawn yn ystod y rhyfel ac yn troi eu dwylo at bopeth. Gan fod prinder losin byddem ni'r plant yn mynd i'r fferyllfa leol i brynu Zubes, ffyn licris a thabledi glwcos yn lle losin. Daeth bri ar gadw rhandiroedd hefyd yn ystod y rhyfel, a bu cryn dyfu llysiau o bob math gan ddefnyddio unrhyw dir segur at y gwaith.

Do'dd dim sôn am deledu pan o'n i'n blentyn ond o'dd clamp o radio hen ffasiwn gennym ni ar fwrdd yng nghornel y lolfa, a byddai fy nhad wrth ei fodd yn gwrando ar ornestau paffio. Bob nos Sul byddwn yn gwrando ar raglen o gerddoriaeth o Bournemouth o bobman, gan The Palm Court Orchestra, ac yn ystod y dydd ceid rhaglen o'r enw *Workers Playtime* i ddiddanu'r holl weithwyr yn ystod eu gwaith yn ffatrïoedd y wlad. Yna bob nos Fercher byddwn i a 'mrawd yn cael aros ar ein traed yn hwyrach nag arfer i wrando ar raglen *Noson Lawen* o Neuadd y Penrhyn, Bangor a gynhyrchwyd gan yr ysbrydolwr Sam Jones. Daethon ni fel teulu'n hoff iawn o wrando ar Driawd y Coleg yn canu caneuon ysgafn fel 'Hen Feic Peni-ffardding fy Nhaid', a Mamie Noel Jones wrth y piano yn cyfeilio'n wych iddyn nhw. Wedyn, y gwladwr a'r cymeriad Bob Roberts Tai'r Felin a'i faledi megis 'Nawr lanciau rhoddwn glod', a o'dd yn ffefryn arall, a hanesion y Co' Bach yn nhafodiaith tre Caernarfon.

Ro'dd 'na ddau ddiwedd mewn gwirionedd, sef diwedd yr ymladd yn Ewrop, a diwedd yr ymladd yn y Dwyrain Pell, ac wrth gwrs roedd 'na ddathlu mawr ar ôl y blynyddoedd o fyw dan gysgod y rhyfeloedd. Bu parti mawreddog yng nghantîn yr ysgol yn Rhiwbeina efo jeli coch a *blancmange* pinc! Aeth fy nhad â'm brawd a minnau i ganol y dre i Heol y Frenhines gyda'r lle'n llawn o bobl yn canu, dawnsio ac yfed, a phob tro o'dd bws yn pasio heibio ro'dd pobl yn rhuthro ato ac yn curo ochrau'r bws yn eu gorfoledd! Pan ddaeth rhyfel yn y Dwyrain Pell i ben, ro'n i, fy mrawd a'r teulu ar ein gwyliau ym Mhenrhyndeudraeth, a chofiaf i ni gael ein llusgo o'n gwelyau i fynd lawr i sgwâr y pentre – o'dd yn ferw o'r pentrefwyr yn canu emynau ac yn gweiddi eu llawenydd – wedi i'r newyddion fod y rhyfel wedi dod i ben eu cyrraedd.

Fel y dywedais roeddwn i'n rhy ifanc i fod ag ofn y rhyfel, ac nid oeddwn i'n deall ei oblygiadau o gwbl, ond bu'n gyfnod o weld y gymdeithas yn cydweithio ac yn gyfnod o antur mewn ffordd i ni'r plant wrth i ni ddarganfod shrapnel a dysgu defnyddio'n mygydau nwy. Ychydig a wyddem fel plant am effaith ofnadwy rhyfel ar y byd go iawn.

4
Hafau Penrhyndeudraeth

Yn nyddiau fy mhlentyndod, ro'dd bywydau plant a phobl ifanc yn gyfyng dros ben, nid fel heddiw lle mae'r to iau wedi gweld y byd yn ifanc iawn ac wedi bod ar wyliau mewn gwledydd pellennig. Oni bai am ein cysylltiadau teuluol â'r gogledd ni fyddwn innau wedi gweld fawr o'r byd yn fy ieuenctid chwaith. Trwy ein hymweliadau â theulu fy nhad ym Mhenrhyndeudraeth daeth fy mrawd a minnau i nabod ein cyfoedion yn y pentre o'dd mwy neu lai yn uniaith Gymraeg bryd hynny. Byddem yn crwydro yn eu cwmni i ben y Cnicht, y Moelwyn Mawr a'r Moelwyn Bach ac yn nofio yn afon Glaslyn ger ffarm Hirynys.

Un tro, es i chwarae snwcer yn adeilad yr YMCA efo rhai o'r hogiau lleol, a thra o'n i'n chwarae clywais ddau hen ŵr a eisteddai ar fainc y tu ôl i mi yn sgwrsio gydag un yn holi'r llall pwy o'dd yr 'hogyn diarth'. 'O, ti'n gwybod, mab Wil Sowth ydy o!' A dyna'r tro cyntaf i mi glywed glasenw ar fy nhad yn ei bentre genedigol!

Yn fy arddegau ro'n i'n cael mynd ar fy ngwyliau ar fy mhen fy hun i aros at deulu fy nhad ym Mod Erw. Un tro dyma Elfed Roberts, Tŷ'n Ffridd, o'dd yn gyfyrder i mi, yn fy ngwahodd i fynd efo fo a'i ffrindiau i archwilio twnnel yn hen waith plwm Pant-y-wrach yn Llanfrothen. Ro'dd Elfed yn cario ysgol ar ei ysgwydd a rhai o'r bechgyn eraill yn cario potiau jam efo canhwyllau ynddyn nhw! Ro'dd hi'n amlwg fod Elfed wedi bod ar *recce* cyn ein hymweliad, a phwrpas cael yr ysgol o'dd er mwyn ei gosod ar draws twll mawr yng ngheg y twnnel gan fod lefel arall oddi tano. Crafangom dros yr ysgol a dechrau cerdded yng ngolau'r canhwyllau ar hyd twnnel llaith. Ro'dd gwynt yn ein hwynebau ac ro'dd hynny'n arwydd y byddem yn gallu dod allan y pen arall yn rhywle. Ond am siom – cawsom ein rhwystro gan dwll arall a lefel arall oddi tanom, a'r ysgol yn dal yng ngheg y twnnel. Felly bu'n rhaid i ni droi 'nôl heb wybod i ble y byddem yn dod allan. Ro'n i'n aros efo fy modryb ar y pryd, ond ni ddywedais air wrthi am fy antur rhag ofn i mi gael stŵr ganddi!

Ro'dd gwaith powdwr, sef Cooke's Explosives, ym Mhenrhyndeudraeth a gyflogai rai cannoedd o'r pentrefwyr. Dros y blynyddoedd cafwyd ambell ffrwydrad yno gyda nifer yn cael eu lladd. Ro'dd Aled, cefnder i mi, yn gweithio yn y swyddfa yno, ac un tro cafwyd ffrwydrad nes iddo gael ei daflu o'i sedd ar draws y 'stafell. Trwy drugaredd chafodd o ddim niwed. Aeth peth amser heibio cyn i'r teulu gael gwybod hanes Aled.

Ro'dd y pentre'n uniaith Gymraeg, fwy neu lai, a'r plant cadw a ddaeth yno yn ystod y rhyfel yn dysgu siarad yr iaith yn gyflym. Cofiaf fynd i nôl pysgod a sglodion i swper ryw dro, a chlywed hogyn o'r pentre yn y ciw o'm blaen yn gofyn am 'gwerth chwech o tsips a chnegwath o bys'. Methais yn lân â deall beth o'dd 'cnegwath' am amser hir, ond deallais wedyn mai 'ceiniogwerth' o'dd yr ystyr!

Mae Cymru'n enwog am roi glasenwau i bobl ac nid o'dd Penrhyn yn eithriad yn hynny o beth. Clywais enwau megis Lizi Bob Lliw, Bob Oil Lamp, Joanna Cerrig Beddi (o'dd â dannedd mawr ganddi!), Elfed Dau Wy (am iddo frolio wrth ei ffrindiau ei fod wedi cael dau wy i frecwast un bore!), Jack Sbondar (ar ôl gêm a chwaraeid gan y chwarelwyr llechi), Jac Ruth, Katie German, Wil Sowth (fy nhad!), Harri Mul a Jac Cachu Dau! Mae gen i gof o weld Harri Mul pan o'n i'n blentyn ar fy ngwyliau haf yn y pentre – yn eistedd mewn cadair wellt ar y stryd y tu allan i'w dŷ efo sbectol ar ei drwyn ac yn cogio darllen papur newydd â'i ben i lawr! Ro'dd o wedi peintio clamp o goeden Nadolig ar dalcen y tŷ ac wedi llifio gwaelod y drws ffrynt i osgoi gorfod agor y drws i'r gath!

Cyn 1946 ro'dd y trên bach a wasanaethai chwareli llechi Blaenau Ffestiniog yn dal i gario llechi i Borthmadog, ac ro'dd y trên hefyd yn cludo pobl o Borthmadog i Flaenau ac yn dod drwy Benrhyndeudraeth. Ambell dro byddai fy mrawd a minnau'n aros i glywed sŵn hwter y trên ym Minffordd ar ei ffordd i Benrhyn gan redeg nerth ein traed o dŷ Nain i gefn Capel Nasareth er mwyn codi llaw ar y gyrrwr trên! Bob pnawn byddai rhes hir o wagenni'n llawn o lechi yn pasio drwy Benrhyn efo un dyn ar ganol y wagenni yn rheoli cyflymder y trên di-injan. Gelwid y rhes yma o wagenni yn *run*. Yn ôl un hanesyn aethom fel teulu unwaith am dro ar y trên o Benrhyn i Flaenau Ffestiniog a phan o'dd y trên yn aros yng ngorsaf Tan-y-bwlch, cyn mynd drwy'r twnnel i'r Blaenau, ro'n i wedi rhoi fy mhen rhwng y bariau ar draws un o'r ffenestri ac wedi mynd yn sownd ynddynt. Bu'n rhaid i'r giard fy nhynnu trwy'r bariau i'm rhyddhau, a minnau'n sgrechian ac wbain! Yn bersonol, does gen i ddim cof am y digwyddiad anffodus hwn diolch byth! Ar ôl i'r rheilffordd gau, dirywiodd y lein nes i griw o Saeson yn bennaf fynd ati i'w hailagor ar gyfer ymwelwyr ym 1955. Byth ers hynny mae miloedd o ymwelwyr wedi teithio arni, yn arbennig yn ystod cyfnod yr haf i edmygu'r golygfeydd wrth deithio o Borthmadog i Ffestiniog.

Roedd teulu fy nhad yn cael eu nabod fel teulu'r Erw, a daeth y teulu i fyw i Benrhyndeudraeth o ffarm yr Erw Fawr yn Llanfrothen, gydag aelodau o'r teulu'n byw drws nesa i'w gilydd. Ar ôl marwolaeth Nain ym Mod Erw daeth brawd fy nhad, Ellis Ifor, a'i wraig, Jane Mary, i fyw yno ac efo nhw o'n ni'n aros fel teulu. Gweithiai Ellis Ifor yn y 'Gwaith Sets', sef chwarel ithfaen ym Minffordd, a'i waith o'dd mynd lawr ar raff i dyllu'r graig a gosod ffrwydryn ynddi – gwaith peryglus, mewn gwirionedd. Ond gwladwr o'dd o go iawn, ac yn ei amser hamdden hoffai bysgota, dilyn cŵn hela Ynysfor a saethu yn y Traeth y tu ôl i ffermdy Hirynys ar lan afon Glaslyn. Byddai fy nhad, fy mrawd a minnau'n mynd efo fo weithiau i hela ar y Traeth ac ro'dd hynny'n dipyn o antur i ni! Un tro wrth iddi dywyllu a ninnau'n dychwelyd yn waglaw i'r pentre dyma gyrraedd pont y trên bach o'dd wedi ei hadeiladu o ddarnau o gerrig a rwbel. Ro'dd y wal yn llawn o oleuadau bach a'm hewythr yn dweud mai golau tanau bach diniwed o'dd yn gyfrifol am y goleuadau, a dyma fi'n dysgu'r gair am *glow worms* yn Gymraeg!

Tŷ ar ben rhes o dai o'dd Yr Erw gyda hoewal yn erbyn talcen y tŷ o'dd â grisiau'n arwain o'r stryd i'r drws, a siop fach o'dd yn gwerthu paraffin a nwyddau ac ati y tu mewn. Anti Mary Gwen o'dd yn cadw'r siop a'i chwaer, Marged, yn gofalu am y tŷ. Ro'dd Anti Mary Gwen yn wraig fach wargam braidd efo llygaid bach tu cefn i'w sbectol hen ffasiwn ar ei thrwyn. Byddai fy mrawd a minnau'n mynd i'r siop i brynu da-da tra o'n ni'n aros drws nesa ym Mod Erw, ac ro'dd y losin mewn jariau ar y cownter efo clorian hen ffasiwn i'w pwyso. Ro'dd disgwyl i ni dalu am y losin er ein bod ni'n perthyn, ond gwthiai Mary Gwen un losin yr un am ddim ar draws y cownter i ni fel arfer! Un tro, aeth yr hen Mary Gwen yn sâl a daeth perthynas arall i gadw'r siop ar agor. Ro'dd cist de yn y siop a phawb yn prynu te drwy ei bwyso allan o'r gist. Ond yn ystod ei habsenoldeb, daeth y te rhydd yn y gist i ben, a the mewn paced yn ei le. Taerai pawb nad o'dd y te paced hanner cystal â'r te pwyso, ond y ffaith o'dd mai'r un te o'dd o, a Mary Gwen yn arllwys cynnwys y te paced i'r gist!

Pan o'n ni ar ein gwyliau ym Mhenrhyndeudraeth byddem fel teulu yn ymweld ag Anti Linor – sef chwaer fy nain – a William Jones ei gŵr yn Llanrug. Cawsant ddau o blant, sef Enid ac Emlyn. Aeth Enid i weithio fel nani i deulu Iddewig cyfoethog yn Llundain, a phan ymfudon nhw i Dde Affrica aeth hi efo nhw a bu'n byw yno am weddill ei hoes. Hen lanc o'dd Emlyn, yn hogyn hoffus a gweithgar ac yn genedlaetholwr pybyr, a bu'n gweithio'n chwarel Llanberis nes iddi gau. Yna aeth i weithio yn ffatri Ferodo yng Nghaernarfon, ond do'dd o ddim yn hapus ei fyd yno gan nad o'dd o'n gallu cymdeithasu â'i gydweithwyr uwchben sŵn y peiriannau. Cadwai Anti Linor ieir, buwch neu ddwy a llo ar y tyddyn a byddai hi'n corddi bob wythnos – a blas arbennig ar y te efo bara menyn cartre. Ro'dd Anti Linor yn groesawgar ond ro'dd ei gŵr yn denau fel sliwen ac yn dipyn o gwynwr!

5
Fy Arddegau

Yr *eleven-plus* ... dyna o'dd bwgan y cyfnod, a ninnau'r plant yn bryderus iawn wrth i ddydd yr arholiad agosáu. Pasiodd fy mrawd yn ddigon uchel i gael mynediad i Ysgol Ramadeg yr Eglwys Newydd. Er bod prifathro'r ysgol honno'n siarad Cymraeg, nid o'dd y Gymraeg ar yr amserlen, ac ymgyrchodd fy rhieni er mwyn i 'mrawd gael gwersi Cymraeg. Gan nad o'dd athro Cymraeg penodedig yn yr ysgol cafodd fy mrawd wersi Cymraeg gan yr athro Mathemateg gan ei fod yn digwydd bod yn Gymro Cymraeg!

Daeth fy nhro innau i sefyll arholiad yr *eleven-plus*. Cyn dydd yr arholiad aeth fy nhad drwy hen bapurau rhifyddeg a phroblemau mathemategol efo fi, ond i ddweud y gwir ro'n i fel llo yn y pwnc. Gallwn ymdopi mwy neu lai efo rhifyddeg, ond ro'dd datrys problemau'n peri niwl dros fy llygaid! Un noson – a 'nhad wrthi'n ceisio ei orau glas i gael ei fab anobeithiol i ddeall rhyw broblem neu'i gilydd – dyma fo'n curo'r bwrdd yn ei rwystredigaeth gan weiddi 'y penbwl' arnaf! Er i 'nhad adael yr ysgol yn bymtheg oed oherwydd tlodi'r teulu, ro'dd deunydd prifysgol ynddo yn y maes mathemategol, ac fel y dywedodd Bob Owen Croesor mewn darlith yng Nghymdeithas y Cymrodorion yng Nghaerdydd, 'Pe bawn i wedi cael addysg byddwn wedi bod yn dditectif yn Scotland Yard!' Ro'dd 'nhad yr un peth – pe bai wedi cael y cyfle, byddai gradd Mathemateg ganddo. Flynyddoedd wedyn aeth i ddosbarthiadau nos yng Nghaerdydd a phasio'n gyfrifydd siartredig.

Trwy ryw wyrth llwyddais i basio'r arholiad yn ddigon da i fynd yn ddisgybl i Ysgol Ramadeg y Bechgyn ym Mhenarth, ac am y saith mlynedd nesa bues i'n ôl ac ymlaen ar y trên o Riwbeina i Benarth. Unwaith eto, er bod y prifathro'n Gymro Cymraeg nid o'dd y Gymraeg ar yr amserlen, dim ond Lladin, Groeg, Ffrangeg ac Almaeneg. Aeth fy rhieni ati i ymgyrchu ar ôl derbyn llythyr gan y prifathro yn dweud, 'Welsh hasn't been taught in the school for the last ten years and I see no reason to re-introduce it!' Ro'dd fy rhieni'n lloerig, ac aethon nhw at yr arolygwr ysgolion i gwyno. O ganlyniad bu'n rhaid i'r prifathro anfon holiadur at y rhieni yn gofyn am eu barn ar y mater – a chafwyd ymateb cadarnhaol, er bod Penarth yn dre Seisnigaidd. Ar y dechrau felly, cafwyd gwersi Cymraeg gan athrawes Gymraeg Ysgol Ramadeg y Merched (drws nesa i Ysgol y Bechgyn), sef Mrs Jenkins, gwraig i bregethwr yn y dre.

Yna, penodwyd athrawes Gymraeg ifanc a brwdfrydig a raddiodd yn y Gymraeg ym Mhrifysgol Caerdydd ac yn dod yn wreiddiol o Heolgerrig ym Merthyr Tudful. Mari Lewis o'dd ei henw ac ymhen amser daeth yn wraig i'r Athro Howard Carter o'dd yn gweithio ym Mhrifysgol Aberystwyth. Ar ei hymadawiad daeth Glyn Tilley o Gaerffili yn ei lle.

Ro'dd yr ysgol hon yn Seisnigaidd, a dim ond tri neu bedwar ohonom ni'r disgyblion o'dd yn medru'r Gymraeg, yn cynnwys Ifor Davies, yr arlunydd enwog a gafodd ei fagu ym Mhenarth. Rhannwyd yr ysgol yn

Fi yn ddisgybl yn Ysgol Ramadeg y Bechgyn

bedwar tŷ ar gyfer mabolgampau efo enwau megis Windsor a Clive! Er mor Seisnigaidd o'dd yr ysgol, cynhaliwyd Eisteddfod bob Gŵyl Ddewi a bu rhaid i mi gystadlu ar yr adroddiad Cymraeg er nad o'n i'n fawr o adroddwr, a chofiaf ddysgu cerddi megis 'Aros Mae'r Mynyddoedd Mawr' gan Ceiriog a 'Ras' gan T. Rowland Hughes.

Er fy mod i'n wan yn fy nealltwriaeth o fathemateg ni chofiaf i mi gael anhawster i ddysgu darllen. Yn yr oes ddideledu ro'dd darllen yn un ffordd o basio'r amser, ac erbyn diwedd fy nghyfnod yn yr ysgol gynradd, ro'n i wedi darllen llawer o'r clasuron Saesneg, llyfrau megis *The Swiss Family Robinson*, *Coral Island*, *Treasure Island*, *Wind in the Willows*, *Black Beauty*, *Children of the New Forest*, a llyfrau Enid Blyton ac Arthur Ransom, yn ogystal â llyfrau Just William a Biggles. Ro'dd fy mrawd a minnau hefyd yn hoffi darllen comics megis y *Beano*, *Dandy*, *Hotspur* ac *Adventure*.

Roedd yn arferiad i ni gael gwylio ffilm yn yr ysgol adeg y Nadolig ac unwaith dangoswyd *The Tale of Two Cities* ac wedi i'r ffilm danio fy niddordeb, mi brynais y nofel i'w darllen. Daeth myfyriwr i'r ysgol unwaith a bu'n rhaid i'r creadur ddysgu Saesneg i ni yn y wers olaf ar bnawn Gwener! Ond cadwodd ein diddordeb drwy ddarllen nofel Rudyard Kipling i ni, sef *Stalky and Co*, ac unwaith eto es i ati i ddarllen y nofel hon a chael blas ar y cynnwys.

Yn fy arddegau cynnar wedyn ymunais â'r llyfrgell yn Rhiwbeina gan lyncu pob llyfr Zane Gray (y cowboi) ac yna pob llyfr ditectif! Dechreuais ddarllen yn Gymraeg pan o'n i tua un ar bymtheg oed ar ôl darllen nofel gyffrous E. Morgan Humphreys *Dirgelwch Gallt y Ffrwd*. Ond mewn gwirionedd, ches i ddim blas ar ddarllen llenyddiaeth Gymraeg nes i mi astudio'r Gymraeg yn fy nosbarthiadau Safon Uwch. Dotiais at waith T. Gwynn Jones, Gwenallt ac Ellis Wynne o'r Lasynys.

Gwenaf wrth feddwl am gyfarfod â bachgen o'r enw Howard

Clements pan o'dd o'n un ar ddeg oed a minnau'n fyfyriwr ac yn gwneud fy ymarfer dysgu cyntaf yn Ysgol Gymraeg Bryntaf yng Nghaerdydd. Digwyddais weld y disgybl yn cerdded i'r ysgol efo clamp o lyfr dan ei gesail, a minnau yn holi beth o'dd o'n ddarllen, a ches i wybod mai *The Life Works of Shakespeare* o'dd y llyfr, ac yntau ond yn un ar ddeg oed! Flynyddoedd wedyn clywais ei fod wedi astudio Saesneg yn y brifysgol!

Unwaith trefnodd Pasha Parry, yr athro Hanes, ymweliad â ffatri siocoled Bournville yn Birmingham, a syndod i ni'r disgyblion o'dd gweld dynion mewn cotiau a hetiau gwyn yn eu welingtons yn rhofio llwythi o ddeunydd bisgedi! Ar y daith hon aethom hefyd i faddondy *brine* yn Droitwich Spa a chawsom fynd i mewn i'r dŵr hallt ar ôl cael ein gorchymyn i osgoi cael dŵr yn ein llygaid. Wrth ddod allan o'r dŵr rhoddwyd tywelion cynnes i ni sychu ein hunain. Ro'dd hwn yn brofiad anhygoel i ddisgybl ifanc fel fi.

Ro'dd glasenwau ar rai o'r athrawon megis 'Egga Jones', yr athro Daearyddiaeth, gan ei fod yn foel. 'Snips' o'dd enw Mr Parsons, yr athro Ffiseg, ac yna 'Pasha' o'dd enw Mr Parry, yr athro Hanes gan ei fod yn hoff o sôn am y *Turkish Pashas* yn rhai o'i wersi! 'Pete' o'dd enw Mr Peter Lewis, yr athro Saesneg, ac ro'dd o'n un o'r Cymry Cymraeg prin ar staff yr ysgol. Deuai o ardal Llandysul ac ro'dd yn hoff o bysgota. Ond gallai fod braidd yn surbwch ar brydiau. Arferai edrych arnom weithiau a'n galw yn 'suburbian masses'! Cyfyng o'dd yr ystafelloedd dysgu, ac yn y wers Saesneg un diwrnod – wrth i ni astudio'r ddrama *Julius Caesar* – ro'dd Mr Lewis yn darllen y ddrama'n uchel a ninnau'n ei dilyn yn ein llyfrau. Ond ro'dd o'n defnyddio ei law wrth ddarllen, a dyma fachgen hy a eisteddai dan ei drwyn yn y ddesg flaen yn ysgwyd ei law! Cafodd golbied am ei drafferth, er i weddill y dosbarth fwynhau'r sefyllfa!

Mr Jenkins o'dd enw'r athro Mathemateg a gwisgai ŵn ddu bob tro a golwg fel brân arno. Ro'n i'n arfer eistedd gyda hogyn o'r enw Paul Mahoney o'dd yn dod o Cogan ger Penarth ac ro'dd y ddau ohonom yn gwbl anobeithiol gyda mathemateg. Un tro, gofynnodd yr athro gwestiwn i mi a rhoddais ateb dwl, ac yna gofynnodd yr un cwestiwn i Paul Mahoney ac yntau'n rhoi ateb dwl fel minnau. Edrychodd yr athro'n dosturiol arnom a dweud, 'Roberts and Mahoney, if I put your two heads together I would have enough wood to build a cricket pavilion!' Dro arall, dywedodd wrthyf i, 'Roberts, you have a mind like a sewing machine!' Daliaf i gofio ei eiriau sarhaus hyd heddiw.

Fy nosbarth yn Ysgol Ramadeg y Bechgyn, Penarth – 1949

Un bore Sul, es i wasanaeth yng Nghapel Beulah yn Rhiwbeina a chlywais y bardd-bregethwr Elfed yn pregethu, ac yntau mewn gwth o oedran a bron yn ddall. Gallaf ei weld yn sefyll yn y pulpud hyd heddiw yn fy nychymyg. Aelodau yng Nghapel y Crwys o'dd fy nheulu ond o dro i dro ro'dd fy nhad yn hoff iawn o fynd i wrando ar hoelion wyth y pulpud i gyfarfodydd pregethu capeli Cymraeg y ddinas. Felly, byddai'n mynd a 'mrawd a minnau i'w ganlyn i gapeli fel y Teras yn

Pembroke Terrace a Bethel, Capel y Wesleaid yn Paradise Place y tu ôl i hen safle siop Woolworths yn Heol y Frenhines. Yng Nghapel Bethel y clywais Tegla yn pregethu unwaith, ac amheuthun o'dd gwrando ar y Parchedig Eliseus Howells gan ei fod yn defnyddio tafodiaith y Wenhwyseg a'm swyno'n llwyr. Ro'dd o'n baladr o ddyn ac mae hanes amdano pan o'dd o'n paratoi am y weinidogaeth yn chwarae yn y gôl yn nhîm y coleg a chafodd y glasenw Ellovasize Howells!

Am flynyddoedd bu Capel Beulah yn y pentre yn trefnu *Whitsun Treat* i blant ac aelodau'r capel mewn cae ar ffarm Llanisien Fach oddi ar ffordd Thornhill Road sy'n arwain i Gaerffili. Ro'dd hen edrych ymlaen at yr achlysur hwn o flwyddyn i flwyddyn. Ar fore'r *Whitsun Treat* byddai nifer o ieuenctid ac aelodau'r capel yn ymgynnull yn yr ysgoldy i helpu i lwytho lorri efo stof, meinciau, cadeiriau, llestri a phabell, ac yn mynd i gae'r ffarm y tu ôl i fwthyn to gwellt ar ymyl Thornhill Road i baratoi'r lle ar gyfer y digwyddiadau nes ymlaen yn y dydd. Byddai'r stof yn berwi dŵr poeth ar gyfer y te, ac yn gynnar yn y pnawn byddai pawb yn ymgynnull, gyda'r plant a'r ieuenctid yn mwynhau chwaraeon a rasys wrth i'r bobl hŷn eistedd yn sgwrsio a gwylio'r hwyl. Yn eu tro, byddai pawb yn cael te – cacen gwrents, bara menyn a jam mefus a phaneidiau o de. Wedyn ar ddiwedd y pnawn byddai rhaid ail-lwytho'r lorri i ddychwelyd popeth i'r ysgoldy. Ond gyda'r holl adeiladu tai a ddigwyddodd yn yr ardal daeth y *Whitsun Treat* i ben, ac ar ôl hynny trefnwyd bysiau i fynd â ni i Fro Gŵyr, i Fae Caswell a Bae Rhosili. Ond do'dd dim byd yn debyg i'r hen *Whitsun Treat*, a gwelwyd ei eisiau.

Ni chofiaf yn iawn sut y dechreuon ni fel teulu fynychu cymanfaoedd canu Capel Bethlehem yng Ngwaelod-y-garth ger Caerdydd, ond ro'dd y gymanfa hon yn digwydd yn flynyddol ar ddydd Gwener y Groglith ac yn achlysur arbennig i'r ardal. Ro'dd John Charles Davies, y pen blaenor yn meddu ar bersonoliaeth hyfryd ac yn llawn brwdfrydedd dros y gymanfa. Trefnai ysgol gân cyn y gymanfa yng nghapeli'r Winllan a Glan-llyn a Bethlehem, a gwae chi os nad oeddech chi'n dod i'r ymarferion hyn!

Un flwyddyn daeth llond bws o bobl o ardal Abertridwr i'r gymanfa i sesiynau'r pnawn a nos, a threfnwyd te yn festri'r capel i'r holl ymwelwyr rhwng y sesiynau. Tra o'n ni fel teulu yn sefyll tu allan i'r capel ar ôl sesiwn y pnawn dyma stwcyn o ddyn yn rhuthro at fy nhad ac yn ysgwyd ei law yn wresog. Do'n nhw heb weld ei gilydd ers iddynt fod yn ddisgyblion yn yr ysgol gynradd ym Mhenrhyndeudraeth. John Roberts o'dd enw'r gŵr ac o'dd o'n cael ei nabod fel Jac Russia yn lleol. Bu'n löwr yn ardal Abertridwr ac yn dipyn o ddraenen yn ystlys yr awdurdodau wrth iddo ymgyrchu am well amodau i'r glowyr. Ro'dd o'n *fire brand* go iawn yn ôl yr hanes. Bu hefyd yn ymladd yn Rhyfel Cartref Sbaen ac yn gynrychiolydd Undeb y Glowyr. Mae ei ŵyr, Richard Falstead, wedi ysgrifennu llyfr am ei daid o'r enw *No Other Way*. Tra o'dd Jac yn sgwrsio'n frwd â'm tad, gofynnodd os mai ei ferch o'dd yn sefyll wrth ei ochr! Ro'dd Mam wrth ei bodd.

Ro'n i'n dair oed pan symudon ni o 55 Thornhill Road yn Llanisien i 23 Lôn Isa ym Mhentre'r Gerddi yn Rhiwbeina. Pan o'n i'n ddisgybl yn Ysgol Ramadeg Penarth, symudon ni eto i 6 Heol Wen o'dd ar gyrion Pentre'r Gerddi yn Rhiwbeina. Ffarweliais â 23 Lôn Isa un bore a mynd ar y trên i'r ysgol ym Mhenarth, ac yn y pnawn wrth gyrraedd yn ôl o'r ysgol, cerddais o'r orsaf i'm cartref newydd yn Heol Wen! Ro'dd o'n brofiad rhyfedd mewn gwirionedd. Ar y pryd ro'dd ein tŷ ni'n wynebu tir garw o'dd yn ymestyn yr holl ffordd i ddiwedd Manor Way – ffordd nad o'dd wedi ei hymestyn bryd hynny. Gyda Heol Wen yn dod i ben ym mhen draw'r stryd, dim ond caeau o'dd yno wedyn yn ymestyn i'r Coed Hirion, ac yno y chwaraeem yn aml.

Ro'dd Bet, chwaer fy nhad, yn byw yn Ystalyfera yng Nghwm Tawe pan o'dd fy mrawd a minnau'n blant, a phob Pasg am flynyddoedd byddem yn mynd ati i aros ger y tipiau glo (a enwyd yn Patches) er mwyn mynychu Cymanfa Ganu Dydd Llun y Pasg. Ar y pryd ro'dd bri ar y gymanfa, gyda'r capel yn llawn hyd at yr ymylon â'r canu'n wefreiddiol. Un tro, es i a 'mrawd i'r parc gyferbyn â thŷ Anti Bet i wylio llanciau'r pentre yn chwarae gêm o'r enw 'cati', sef math o rownderi a chwaraeid â phastwn a darn o bren wedi ei nyddu'n fain bob pen yn hytrach na phêl. Y gamp o'dd taro'r darn pren efo'r pastwn nes iddo godi i'r awyr, ac yna byddai'r person a drawodd y darn pren yn dechrau rhedeg o un safle i'r llall.

Fy mrawd Wynn a minnau a ffrind y teulu yn 6 Heol Wen, Rhiwbeina

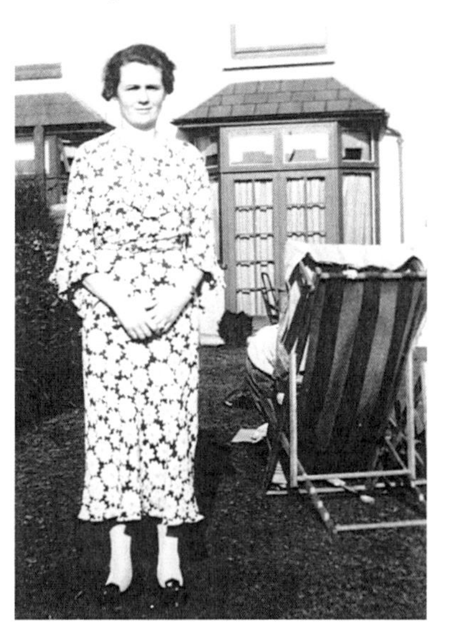

Bet, chwaer fy nhad

Un bore cododd fy mrawd a minnau'n gynnar cyn i'r gweddill godi, a dyma ni'n mynd i grwydro i'r ardd gefn nes i ni weld drws yn y wal o'dd yn arwain i lôn fach y tu ôl i'r tŷ. Yn llawn brwdfrydedd dyma agor y drws a chamu i'r lôn. Er mawr syndod a braw i ni, roeddem mewn pryd i weld lladd hwch y ffarmwr lleol! Ro'dd yr hwch druan yn gwichian a rhochian fel pe bai'n ymwybodol o'i thynged. Fe'i taflwyd ar ei chefn ar fainc a thorrwyd ei gwddw nes i'r gwaed lifo i fwced dan ei phen! Yna sgwriwyd yr hwch yn lân cyn ei hongian a'i hagor i dynnu allan ei pherfedd! Dychwelon ni i'r tŷ yn syfrdan ac erbyn hyn ro'dd Anti Bet wedi codi ac yn hwylio brecwast i ni. Pan welodd hi ni dywedodd, 'Bore da fechgyn, a gymerwch chi gig moch ac wy i frecwast y bore 'ma?!' Yr ateb o'dd 'na' ar ôl gweld marwolaeth erchyll yr hwch yn y lôn gefn!

Yn ystod fy arddegau daeth y teledu i ddisodli'r radio i raddau helaeth, ond ni phrynwyd set deledu am flynyddoedd, er mawr siom i'm brawd a minnau wrth glywed ein cyfoedion yn trafod yr hyn a welsant ar y sgrin. Ro'dd hogyn o'r enw Derek Randle yn y Clwb Ieuenctid yng Nghapel Beulah yn y pentre a broliodd wrthym fod set deledu ganddyn nhw gartre a gwahoddodd rai ohonom i'w dŷ i wylio'r teledu. Ro'dd pawb ar dân i weld y set, ond am siom, achos do'dd dim mast teledu yng Ngwenfô bryd hynny, dim ond cysgodion a llinellau gwyn a welsom yn saethu ar draws y sgrin! Dyma fynd am adre gan daeru y byddai'n well i ni ddal i fynd i sinema'r Monico ar foreau Sadwrn am ein hadloniant! Daeth sinema'r Monico i Riwbeina ym 1937 pan o'n i'n ddwy oed. Chwith o'dd gweld yr adeilad yn cael ei ddymchwel i wneud lle i floc anferth o fflatiau pan ddaeth trai ar fynychu'r sinema.

Fel llawer o ieuenctid pentre Rhiwbeina ymunais â'r Clwb Ieuenctid yng Nghapel Beulah a mwynheais y profiad yn fawr iawn. Flynyddoedd wedyn bu'r profiad hwnnw o gymorth i mi wrth arwain Aelwyd yr Urdd yng Nghaerdydd. Mr a Mrs Jim Horsborough fu'n arwain y clwb am flynyddoedd ac ro'dd dawn ganddyn nhw i'n hysbrydoli.

Un o weithgareddau'r clwb o'dd mynd i ganu carolau o

gwmpas y pentre bob Nadolig gan orffen yn nhŷ rhai o aelodau'r capel am luniaeth a phaned, ac i gyfrif yr arian a gasglwyd at achos da. Uchafbwynt arall yng nghalendr y clwb fyddai'r cyngerdd blynyddol â phawb yn cymryd rhan. Fe'i gelwid yn *Gang Show*, a byddai llond y neuadd yn dod i fwynhau'r noson.

Yn fy arddegau dechreuais ymddiddori mewn chwarae tennis. Ces raced o rywle a bues i'n taro pêl yn erbyn drws garej y tŷ am oriau nes anfon fy mam yn wirion, ond cafodd ryddhad pan fentrais i glwb y Rec yn y pentre i ymaelodi ag Adran Iau'r Clwb Tennis. Dros y blynyddoedd ces oriau o fwynhad yn chwarae yno, nes i mi roi'r gorau i chwarae pan o'n i yn fy neugeiniau a throi i loncian! Chwaraewr llaw chwith o'n i, ac er na chwaraeais mewn unrhyw dîm, ro'n i'n gallu rhoi gêm ddigon caled i lawer o'm gwrthwynebwyr. Ro'dd cyrtiau caled a glaswellt yn y Clwb Tennis ac amheuthun ar ddiwrnod o haf hirfelyn tesog fyddai chwarae ar y cyrtiau yma ar y penwythnos ac arogl glaswellt newydd ei dorri yn fy ffroenau. Bob pnawn trefnid te yn neuadd y Rec, ac felly byddwn yn chwarae yn ystod y pnawn a chael saib am de, ac ailddechrau chwarae nes iddi dywyllu.

Pan fyddai'r ieuenctid yn chwarae tennis byddai'r gwragedd hŷn yn chwarae *croquet* a'r gwŷr hŷn yn bowlio. Flynyddoedd wedyn, cafodd y gwragedd lain iddyn nhw eu hunain. Ro'dd adeilad pren wrth ochr y llain *croquet* lle cafwyd byrddau snwcer, 'stafell tennis bwrdd a siop fach. Ar ddyddiau glawog neu dywydd anffafriol byddem ni'r bobl ifanc yn mynd i'r siop i brynu losin ac yfed pop a gwylio pobl yn chwarae biliards neu snwcer, ac weithiau byddai cyfle'n dod i ni gael tro i chwarae. Melys ydy'r atgofion am y dyddiau difyr hynny!

Ffurfiwyd côr cymysg gan aelodau ifanc y Clwb Tennis ym 1951 a dyna'r tro cyntaf i mi gael y profiad o ganu mewn côr. Fe'n harweiniwyd gan David Huw Jones o'dd â'i deulu'n hanu o ardal Cydweli, ond wedi'i fagu'n ddi-Gymraeg. Ro'dd ychydig dros ugain yn y côr ac ro'n ni'n cyfarfod yn y pentre yn nhai ein gilydd bob nos Sul. Unwaith cawsom ganu yn agoriad swyddogol tymor yr haf yn y clwb cyn mynd i chwarae tennis ar ôl y seremoni! Ro'dd merched Adran Ifanc y Clwb Tennis yn fwy blaengar na ni'r bechgyn a nhw a ddechreuodd ein perswadio i ymuno â nhw i fynd i'r Hop bob nos Sadwrn yn 'Sibs', sef Ysgol Ddawnsio Sybil Marks o'dd yn adnabyddus yn y cylchoedd dawnsio. Ro'dd ei stiwdio ddawns yn Llwynfedw, ond bob nos Sadwrn arferai logi neuadd Eglwys St Thomas yn Rhiwbeina ar gyfer yr Hop, a thyrrai ieuenctid yr ardal yno'n wythnosol. Do'dd dim clem gennym ni'r bechgyn ond buan iawn des i'n giamstar ar ddawnsio'r *waltz*, y *quickstep* a'r *foxtrot*! Ro'dd dawnsio sgwâr wedi dod yn boblogaidd hefyd bryd hynny ac o'dd y *Virginian Reel* yn un o'r ffefrynnau. Ni chofiaf unrhyw drafferthion yn digwydd yn yr Hop, ond does wybod beth fyddai'r sefyllfa yn yr oes bresennol!

Yn fy arddegau felly gwelais fy mam a 'nhad yn ymgyrchu dros wersi Cymraeg i 'mrawd a minnau yn ein hysgolion, cefais brofiad o weithgareddau Cymraeg yn y capeli a'r Clwb Ieuenctid a chyfle i fwynhau gweithgareddau'r côr yn y Clwb Tennis. Bu hwn yn gyfnod dylanwadol yn fy mywyd a llawer o'r hyn a brofais ac a welais yn fodd i ffurfio fy llwybr tua'r dyfodol.

6
Bod yn Gymro Go Iawn

Er i mi gael fy magu'n Gymro Cymraeg, yr unig Gymraeg a glywn o'dd ar yr aelwyd, y capel ac ar wyliau ym Mhenrhyndeudraeth. Saesneg o'dd gweddill fy mywyd, fy addysg a'm ffrindiau – roedd popeth yn ddi-Gymraeg. Ond yn ystod fy ieuenctid daeth tro ar fyd, ac mae'n anodd gwybod yn union pryd yr es i o fod yn Gymro arwynebol i fod yn Gymro 'go iawn'. Yn fy arddegau o'n i'n mynychu Clwb Ieuenctid Capel Beulah yn y pentre ac yn mynychu ambell oedfa, ond ro'dd fy rhieni a Nain Caerffili Road yn aelodau o Gapel y Crwys. Un diwrnod, dyma fy rhieni yn dweud wrthyf eu bod am i mi fynd yn aelod i Gapel y Crwys a bod rhaid i mi fynd i ddosbarth derbyn yn y capel dan arweiniad y Parchedig Lodwig Jones. Ro'dd fy mrawd eisoes wedi bod drwy'r un broses flynyddoedd ynghynt. Doeddwn i ddim yn hapus iawn gyda'r penderfyniad. Ond mynd wnes i yng nghwmni Gareth Williams o'dd yn byw yn ein hen dŷ yn 23 Lôn Isa. Ro'dd ei dad, Tegid, yn dod o ardal y Bala a byddai'r ddau ohonom yn mynd ar ein beiciau i'r dosbarth yn y capel.

Ar ôl dod yn aelod yng Nghapel y Crwys dechreuais fynychu'r oedfaon yno, ac yn raddol dechreuodd fy nghysylltiadau â Chapel Beulah leihau. Ro'dd dosbarth ysgol Sul i bobl ifanc yn y capel a bri ar y dosbarth dan arweiniad carismatig Lyn Howell – blaenor a gweithiwr i'r Bwrdd Croeso. Ro'dd tua phump ar hugain yn y dosbarth o bob rhan o Gymru a dadlau brwd yno'n aml. Bob Calan byddai Lyn a'i wraig Nan yn gwahodd y dosbarth cyfan i'w cartre – yn y Bwthyn, yn Rhiwbeina – i ddathlu'r flwyddyn newydd.

Arweiniwyd cwmni drama'r capel gan athro o Gaerdydd,

Dennis Jones, ac roedd hefyd yn aelod o Gwmni Theatr Everyman yn y ddinas. Cymerais ran yr hogyn yn nrama *Hen Ŵr y Mynydd* gan Cynan a fi hefyd o'dd Jacque y coetiswr yn nrama *Y Cybydd* gan Molière. Dennis wnaeth actio rhan y cybydd ac ro'dd o eisoes wedi actio'r un rhan yn Saesneg gyda Chwmni Everyman. Ro'dd o'n actor gwych a daliaf i gofio'i berfformiad yn y ddrama.

Yn fy ail flwyddyn yn yr ysgol dechreuais gael gwersi Cymraeg, diolch i ymdrechion fy rhieni i sicrhau hynny, a phan o'n i yn y Chweched Dosbarth dyma Pasha Parry, yr athro Hanes o'dd yn ddi-Gymraeg ac yn sosialydd brwd o ochr Aberdâr, yn penderfynu cynnal grŵp trafod ar ôl ysgol i ddisgyblion o'dd yn astudio Hanes. Felly do'dd dim llawer o ddewis gen i ond bod yn rhan o'r grŵp, gan fy mod i'n astudio Hanes. Ro'n i'n hogyn eitha swil a braidd yn anaeddfed ac erioed wedi siarad yn gyhoeddus o'r blaen, a phan orchmynnodd i mi baratoi papur am Blaid Cymru i'w draddodi o flaen fy nghyd-ddisgyblion yn y grŵp, suddodd fy nghalon. Wyddwn i fawr ddim am y Blaid ar y pryd. Felly es i Swyddfa'r Blaid yn Heol y Frenhines ynghanol y dre i holi am bamffledi o'dd yn rhoi tipyn o hanes y Blaid. Cafodd hyn oll gryn ddylanwad arnaf achos ymhen tipyn, ymaelodais â'r Blaid. Doedd gen i fawr o ddiddordeb mewn economeg ond ro'dd cefnogaeth y Blaid i'r iaith yn fy nenu. Dechreuais ymhél â'r Blaid, ac am flynyddoedd mynychais ysgolion haf y Blaid a gynhaliwyd bryd hynny yn ystod yr wythnos cyn yr Eisteddfod Genedlaethol, gan alluogi i nifer o fynychwyr yr ysgol haf fynd oddi yno i'r Eisteddfod.

Adeg etholiadau byddwn fel fy nain ers talwm yn helpu yn Swyddfa'r Blaid ac yn mynd i ganfasio a rhannu pamffledi drwy'r drysau mewn llefydd fel Pont-y-pŵl a Chasnewydd. Adeg etholiad yng Nghasnewydd, Emrys Roberts o'dd yn sefyll dros y Blaid a Glyn James o'r Rhondda yn asiant iddo. Ro'dd

Glyn yn giamstar ar annerch etholwyr dros y corn siarad ar geir y Blaid, a byddai'n bytheirio'i neges ag arddeliad bob tro! Noson cyn yr etholiad ro'dd y Blaid Lafur yn cynnal cyfarfod mawr mewn neuadd gyferbyn â'r orsaf yng Nghasnewydd a dyma Glyn ac Emrys yn mynd yn eu car i faes parcio gyferbyn â'r neuadd. Fel o'dd y bobl yn gadael y neuadd ar ddiwedd y cyfarfod dyma Glyn yn dechrau arni yn llawn brwdfrydedd yn annog pawb i bleidleisio dros y Blaid. Cynddeiriogodd llawer o'r dorf gan agosáu at y car a chodi eu dyrnau a churo ar y ffenestri nes gorfodi Glyn ac Emrys i ddianc am eu bywydau!

Felly'n araf – ond yn sicr – dechreuais droi cefn ar y bywyd Seisnig ac ymroi i fod yn Gymro Cymraeg go iawn. Gwnes addewid i mi fy hun y byddwn yn siarad Cymraeg â phawb o'n i'n gwybod eu bod yn medru'r iaith. Yn y Crwys, er enghraifft, ro'dd tueddiad ymhlith pobl ifanc y capel i siarad Saesneg ond atebwn bawb yn Gymraeg. Yn dawel fach enillais y dydd! Mae mwy nag un ffordd i gael Wil i'w wely! Hefyd sylweddolais fy mod i'n meddwl yn Saesneg ac felly dyma orfodi fy hunan i feddwl yn Gymraeg. Teimlais bod rhaid i mi gryfhau fy ngafael ar yr iaith ac felly dechreuais ddarllen *Y Cymro* a'r *Faner*, efo geiriadur i ddechrau, gan fod llawer o eiriau yn y papurau yn ddieithr i mi! Ro'n i'n arfer darllen y cynnwys yn uchel yn aml er mwyn rhoi'r iaith ar fy ngwefusau yn ogystal ag yn fy mhen. Wedyn, mynychais gyfarfodydd o'r Cymrodorion yn y ddinas yn ogystal â chyfarfodydd Tŷ'r Cymry yn Heol Gordon yn y Rhath. Mae'n rhaid mai fi o'dd yr aelod ieuengaf a fynychai'r cyfarfodydd hyn a minnau'n dal yn y Chweched Dosbarth yn yr ysgol!

7
Dechrau Meddwl am y Dyfodol

Do'n i ddim cystal sgolor â'm brawd Wynn, ond o'n i wastad yn gwneud fy ngorau glas yn y pynciau o'dd yn fy niddori megis y Gymraeg, Hanes a Daearyddiaeth. Ro'dd fy rhieni yn awyddus i mi fynd i'r brifysgol yng Nghaerdydd, ond yng nghefn fy meddwl doeddwn i ddim yn siŵr o'n i wir yn ddeunydd prifysgol. Serch hynny, wrth sefyll fy arholiadau Safon Uwch cefais gyfweliad yn y brifysgol yng Nghaerdydd a chynigwyd lle dim ond i mi basio fy arholiadau. Beth bynnag, fe'm siomwyd yn fawr – llwyddais i basio Hanes, ond er mawr cywilydd i mi,

Fi yng ngwersyll High Legh rhwng Warrington a Knutsford, yn swydd Gaer

Fy mrawd ar seibiant o'r fyddin yn yr Aifft – 1954

methais fy arholiad Safon Uwch yn y Gymraeg gan dderbyn gradd is a thystysgrif mewn Llenyddiaeth ac Iaith yn unig.

Felly, ro'n i mewn penbleth yn ceisio penderfynu ynglŷn â fy nyfodol. Bryd hynny, ro'dd bechgyn deunaw oed yn gorfod gwneud eu gwasanaeth cenedlaethol yn y fyddin, ac er fy mod yn heddychwr yn y bôn wnes i ddim ystyried gwrthod mynd i'r fyddin. Es i gael prawf meddygol ac ateb nifer o brofion ynglŷn â deallusrwydd yn haf 1953, gan aros wedyn am lythyr yn dweud wrthyf ble i gofrestru. Daeth y llythyr ddechrau'r hydref ac arno ddyddiad i mi fynd i wersyll y Royal Artillery o'r enw Old Park Hall ar gyrion tre Croesoswallt!

Wrth i 'Rwyf innau'n filwr bychan' ddod i'm meddwl, i ffwrdd â fi am Groesoswallt. Gan fod fy mrawd wedi gadael cartre'n un ar bymtheg oed i ddilyn prentisiaeth efo cwmni yng Nghaerloyw i fod yn dirfesurydd ro'dd wedi gallu gohirio ei dro yn y fyddin nes iddo orffen ei brentisiaeth. Yn rhyfedd iawn felly, aeth y ddau ohonom i wasanaethu yn y fyddin ar yr un pryd, a hynny am ddwy flynedd ym 1953. Ymunodd o â'r Royal Engineers a minnau â'r Royal Artillery. Bu Wynn yn Lloegr, yr Alban a'r Aifft a minnau yng Nghroesoswallt, Doc Penfro, Casnewydd a High Leigh rhwng Warrington a Knutsford yn swydd Gaer. Does gen i ddim cof sut cyrhaeddais i Groesoswallt – ar y trên o bosibl – ond cofiaf fy

Elfed Roberts, fy nghyfyrder a minnau yn y gwersyll milwrol yng Nghroesoswallt ar ddechrau ein cyfnod yn y fyddin – 1953

Gwersyll milwrol yng Nghroesoswallt. Elfed a minnau yw'r ail a'r trydydd o'r chwith yn y rhes flaen – 1953

mhrofiad cyntaf o gael fy arwain i gwt o'dd â llond y lle o hogiau ifanc fel finnau yn derbyn clamp o gitbag a dillad milwrol a sgidiau trwm ac ati, ac yna yn cael ein harwain i gytiau gerllaw. Trwy ryw ryfedd wyrth ro'dd yr hogiau yn fy nghwt i gyd yn Gymry Cymraeg ac yn eu plith Elfed Roberts – fy nghyfyrder o Benrhyndeudraeth! Ro'dd y *bombardier* o'dd yn gyfrifol amdanom ni yn ddigon cyfeillgar, ac yn ein hannog i ganu iddo'n Gymraeg gyda'r nos pan o'n ni wrthi'n rhoi sglein ar ein sgidiau newydd a rhoi blanco ar ein beltiau a'n *gaiters*.

Byddem yn cael ein martsio yn cario myg, cyllell, fforc a llwy i hongliad o adeilad i gael ein prydau bwyd, ac ro'dd ugeiniau o adar to yn hedfan o gwmpas y lle, yn cachu ar y bwyd ar ein platiau yn aml! Dangoswyd i ni sut i gyweirio ein gwelyau gan blygu'r blancedi a rhoi darnau o bren yn y blancedi i greu haenau. Ymwelai milwr â'r cwt bob dydd i sicrhau ei fod yn gwbl daclus a glân a gwae ni os o'dd o'n gweld bai! Ro'dd fy nghwt i yn un o bedwar a gelwid nhw yn *spiders* gan eu bod fel coesau pry copyn yn arwain at y llefydd molchi. Dim ond diwrnod neu ddau o'n i wedi bod yn y fyddin pan gafodd fy nghôt ddenim ei dwyn dan fy nhrwyn wrth folchi a siafio un bore! Ro'dd stand o fasnau molchi, a minnau wedi gosod fy nghôt ar ben y ffrâm ac yn canolbwyntio ar fy siafo, ond yn sydyn codais fy ngolygon ac ro'dd y gôt wedi diflannu! Rhedais i ochr arall y ffrâm ond ro'dd y lleidr wedi hen fynd! Dysgais i fy ngwers yn gynnar yn fy nghyfnod yn y fyddin a chollais i ddim byd arall ar ôl hynny!

Ro'dd Iddew ifanc yn un o'r *spiders* a deallais ei fod wedi graddio ym Mhrifysgol Glasgow, ond yn anffodus, nid o'dd o'n gallu martsio'n iawn a byddai'r *bombardiers* yn pigo arno. Ar ddiwedd yr wythnos gyntaf cawsom ein martsio i gwt i dderbyn tâl, a bu gweiddi eto ar y creadur druan. Teimlais drosto gan benderfynu na fyddwn byth yn trin fy nghyd-ddyn yn y fath fodd yn ystod fy mywyd.

Ar ôl pythefnos cawsom ein didoli, ac anfonwyd Elfed fy nghyfyrder i wersyll Parc Cinmel ger y Rhyl a minnau'n cael gwybod y byddwn yn mynd i farics Doc Penfro i gael cyfnod o hyfforddiant cyn ymuno â'r gatrawd. Ro'dd y barics ar ben rhiw eitha serth uwchben y dre a'r hyfforddiant yn galed a thrwyadl heb fawr o gyfle i ymlacio. Wedi diwrnod prysur o hyfforddi, byddem yn treulio'r nosweithiau yn tacluso'r cwt ac yn cael trefn ar ein gwisg filwrol, y belt a'r *gaiters* a'r sgidiau mawr. Ro'dd disgwyl i bopeth fod yn berffaith neu gwae ni!

Un bore cawsom ein martsio i'r ganolfan feddygol i roi peint o waed! Dro arall dangoswyd ffilm i ni yn rhestru peryglon heintiau gwenerol, ond yng ngwres yr ystafell ro'dd tuedd i bawb bendwmpian a cholli llawer o'r hyn o'dd yn y ffilm! Ro'dd 'awr efo'r Padre' hefyd yn ffars – unwaith y byddem ni'n ymlacio byddai pawb yn dechrau pendwmpian a sgwrs y Padre yn ofer! Ar ddiwedd yr awr ro'dd 'na ddeffro sydyn pan o'dd y *bombardier* yn gweiddi yn y drws, 'Let's be having you. Fall in outside NOW!'

Ro'dd ymweliadau â'r gampfa yn arteithiol, a'r hyfforddwr yn un digon milain ac yn ein gorfodi i godi shells mawr trwm a ddefnyddid yn y gynnau mawr uwch ein pennau, ac os o'dd o'n clywed tuchan, ro'dd o'n mynnu ein bod yn dal ati eto! Dysgom sut i ddringo rhaff efo pac ar ein cefnau nes ein bod fel mwncïod – yn dringo i gyffwrdd nenfwd y neuadd cyn disgyn i lawr y rhaff i'r llawr yn ddidrafferth. Fel y dywedais, nid o'dd fawr o amser i ymlacio gyda'r nos, ond ynghanol y martsio a thacluso cafwyd tipyn o dynnu coes a chwarae triciau ar ein gilydd. Os o'dd un o'r bechgyn yn mentro mynd i'r gwely cyn pawb arall byddid yn gosod bwrdd uwchben y creadur a'i ddeffro'n sydyn ac yn gweiddi, 'Time to get up.' Byddai'r hogyn yn codi ei ben ac yn ei daro yn ddigon caled! Dro arall gosodwyd coes brws wrth ochr y creadur efo pen y brws yn ei wyneb! Ro'dd un hogyn yn fab ffarm o swydd Efrog wedi arwyddo i aros yn y fyddin am dair blynedd ac felly ro'dd o'n destun gwawd gan bawb arall am fod mor hurt! Yn y cyfnod hwnnw ro'dd y rhaglenni radio'n dod i ben am hanner nos gan chwarae 'Duw Gadwo'r Frenhines' a byddai'r hurtyn hwnnw'n sefyll fel procer wrth ymyl ei wely ar ganiad yr anthem. Un tro, mentrodd fynd i'w wely cyn hanner nos, a dyma ei ddeffro er mwyn iddo glywed yr anthem yn seinio ac yntau'n neidio ar ei draed a sefyll yn syth wrth ei wely cyn mynd 'nôl i gysgu!

Un tro dyma'r swyddogion ifanc o'dd yn gynnyrch ysgolion bonedd Lloegr yn cyhoeddi'r bwriad o gynnal *night exercise* – a'r disgwyl o'dd i ni orwedd ar ein boliau yn y tywyllwch ar ymyl y cae lle y cynhaliwyd yr ymarfer, a byddai'r swyddogion yn aros amdanom ni yng nghanol y cae gan daflu *thunder flashes* atom. Ro'dd hyn yn dipyn o hwyl nes i rai o'r *thunder flashes* lanio yn y cae nesa lle o'dd tanciau mawr o olew yn sefyll! Cynhyrfodd pawb wrth sylweddoli'r peryg – yn arbennig y swyddogion, – ac ro'dd disgwyl i ni neidio dros y clawdd i ladd y fflamau! Ni chafwyd unrhyw sôn am ymarferion nos ar ôl y noson anffodus honno, a diau i'r swyddogion ifanc dderbyn cerydd haeddiannol am eu ffolineb!

Un ymarfer o'dd yn codi arswyd arna i o'dd dysgu sut i ddefnyddio bidog ar flaen gwn, a hynny drwy redeg dan sgrechian nerth dy ben tuag at res o ffigyrau gwellt o'dd yn hongian ar ffrâm, a gorfod gwthio'r bidog i mewn i'r corff a'i droi i'w dynnu allan. Wrth i mi ddysgu sut i saethu gwn cododd problem gan fy mod i'n llaw chwith ac o'dd y bollt ar y gwn ar y dde. Felly a dweud y gwir buaswn wedi bod yn anobeithiol mewn brwydr!

Gyda diwedd y cyfnod hyfforddi'n dod yn nes, sefydlodd y *bombardiers* o'dd yn gyfrifol amdanom gronfa i dalu am barti ar ôl y parêd pasio, a hynny mewn tafarn ar waelod y rhiw o'r barics. Gwahoddwyd teuluoedd pawb i ddod i'r seremoni ond wnes i ddim trafferthu i hysbysu fy rhieni! Daeth y diwrnod mawr ac aeth popeth yn hwylus a phawb wedi martsio a saliwtio'n berffaith! Yna, gyda'r nos dyma gychwyn i lawr y rhiw i'r dafarn i ddathlu diwedd ein hyfforddiant. A minnau ond yn ddeunaw oed do'n i erioed wedi bod mewn tafarn o'r blaen ar ôl bywyd eitha cysgodol yn Rhiwbeina, felly ro'n i fel colomen! Dechreuwyd archebu peintiau a chofiais am fy nhad yn yfed port a lemwn ryw Nadolig a gofynnais am y ddiod honno! Ro'dd y *bombardiers* i gyd, yn cynnwys yr hogiau i gystadlu i weld pwy fyddai'r cyntaf i roi clec i beint o gwrw. Erbyn diwedd y noson ro'dd y rhan fwyaf o'r bechgyn yn feddw gaib ac yn syrthio'n bisys o gwmpas y lle. Bu'n rhaid trefnu tacsis i gyrchu nifer o'r bechgyn yn ôl i'r gwersyll tra o'dd y rhai o'dd yn dal ar eu traed yn helpu'r lleill i ddringo'r rhiw 'nôl i'r barics! Cysgodd pawb yn drwm ond bu'n rhaid deffro'r un amser ag arfer er bod ein pennau fel maip, ac i ffwrdd â ni i'r parêd arferol. Yna ar ddiwedd y parêd, martsiwyd ni gan ein *bombardiers* allan o'r gwersyll i lôn fach wledig a chawsom y gorchymyn, 'Fall out,' ac eisteddom ar ymyl y ffordd nes bod pennau'r *bombardiers* yn clirio digon i'n martsio 'nôl i'r gwersyll!

Daeth yr amser i mi ffarwelio â barics Doc Penfro, ac er mawr syndod i mi ces wybod y byddwn yn ymuno â'r gatrawd ym marics Casnewydd o bob man! Ro'n i wrth fy modd gyda'r newydd hwn wrth gwrs ac yn edrych ymlaen at fynd adre i Riwbeina ambell benwythnos. Ond am siom, ar ôl tua mis cyhoeddwyd bod y gatrawd yn symud i wersyll High Legh, rhwng Warrington a Knutsford yn swydd Gaer ac aethon ni yno mewn rhes o lorïau. Erbyn hyn ro'n i'n gweithio yn swyddfa'r gatrawd ac felly ro'dd fy mywyd tipyn yn llai poenus yn y swydd hon! Ro'dd pencadlys y gatrawd mewn hen blasty ac ro'dd tri batri wedi eu lleoli o gwmpas y tŷ hwn. Ro'n i ym matri 136 ac o'dd y swyddfa yno dan ofal BSM Couch. Ro'dd o'n ddyn garw ar yr wyneb â llais fel utgorn ganddo! Un o Gasnewydd o'dd o'n wreiddiol.

Rhyw dro ar ôl y symud, ymunodd bachgen o'r enw Maldwyn Davies â'r batri ac ro'dd o'n fab ffarm ac yn Gymro Cymraeg o Nercwys yn sir y Fflint. Bryd hynny ro'dd hawl gan ffermwyr i gael caniatâd i alw am ryddhau eu meibion o'r fyddin i helpu yn y cynhaeaf. Un bore ffoniodd mam Maldwyn, a minnau'n ateb y ffôn a siarad â hi yn Gymraeg, ac yn ystod y sgwrs dyma'r drws yn agor a phwy ddaeth i mewn ond y BSM a'i wyneb yn syn wrth glywed y Gymraeg. Rhoddais y ffôn iddo gan esbonio pwy o'dd yna. Cydiodd yn y ffôn ac arthiodd ar Mrs Davies druan gan ddweud y byddai Maldwyn yn cael amser i ddod adre i'r cynhaeaf. Yna, dyma droi ataf a'm galw yn 'bloody old druid', a dyna'r enw arnaf am amser hir wedyn!

Cyn y Nadolig fe'm hanfonwyd i a bachgen o'r enw Bernard Fisher o swyddfa'r pencadlys i fynd ar gwrs teipio i farics Woolwich yn Llundain. Ro'dd Bernard yn fab i bregethwr yn y

Rhondda, a flynyddoedd yn ddiweddarach daeth yn gofrestrydd Dinas Caerdydd a fo fu'n gyfrifol am arwyddo tystysgrif marwolaeth fy nhad. Bu'n rhaid i ni deithio ar drên i Lundain yn ein gwisg filwrol a chario citbag bach ar gyfer ein pethau eraill. Er ei bod yn aeaf chwysom ar y trên tanddaearol i Woolwich, gan fod y cerbydau mor boeth! Nid o'dd fawr o wres yn y barics a rhynnodd pawb yn yr oerfel. Yn aml byddwn yn mynd i'r sinema i gadw'n gynnes. Ro'dd myg gen i i rinsio fy ngheg ar ôl glanhau fy nannedd yn cael ei gadw mewn cwpwrdd wrth ochr fy ngwely. Codais un bore a gweld bod y diferion dŵr yn y myg wedi rhewi!

Yna, un pnawn Sul penderfynais chwilio am Gapel Kings Cross i fynd i'r oedfa hwyrol yno. Ar ôl y gwasanaeth aeth pawb i'r festri i gael paned cyn troi am adre a chefais sgwrs â nyrs o'r enw Siân Owen, o'dd yn ferch i'r llyfrbryf Bob Owen, Croesor. Yn ystod y cwrs cawsom benwythnos rhydd a phenderfynodd Bernard a minnau y byddem yn mynd adre ar y trên i Gaerdydd a'r Rhondda gan drefnu i ddal y trên hanner nos 'nôl i Lundain ar y nos Sul. Nid o'dd trên i Woolwich tan chwech y bore ac felly i basio'r amser aethom am baned i'r Strand Corner House. Eisteddom yno'n gegagored wrth weld llawer o gwsmeriaid amheus yn cyrraedd, ac yn amlwg merched y stryd o'dd y rhan fwyaf ohonyn nhw. Wrth y bwrdd nesa atom ro'dd criw o ddynion garw'r olwg yn chwarae dis ar y carped! Ro'dd y ddau ohonom fel dwy golomen ac erioed wedi profi dim fel hyn yn ein bywydau!

Yn ystod fy nwy flynedd yn y fyddin bues i'n clercio am gyfnodau byr yn yr haf mewn dau wersyll, sef gwersyll Tonfanau ger Tywyn, a gwersyll Castellmartin yn sir Benfro. Bob haf ro'dd cadetiaid o ysgolion bonedd Lloegr yn dod i'r gwersylloedd hyn i ymarfer a phrofi bywyd go iawn yn y fyddin. Yn Nhonfanau ro'dd y swyddfa mewn pabell a chysgais yn y cefn ar styllod wedi eu codi oddi ar y llawr ar friciau, a phan wnaeth hi fwrw glaw un tro, ro'n i'n clywed sŵn y dŵr oddi tanaf wrth droi yn fy ngwely! Yn ystod un penwythnos rhydd tra o'n i yno, es i aros at deulu fy nhad ym Mhenrhyndeudraeth. Cefais bàs gan y postmon lleol ym Mhenrhyndeudraeth ar y nos Sul gan ei fod yntau'n dod i'r Bermo. Daliais fferi oddi yno draw i'r Friog a sefyll ar ochr y ffordd i Dywyn a bodio yn fy ngwisg filwrol. Ro'dd hen wraig yn pwyso ar ei giât yn fy ymyl a buom yn sgwrsio. Ychydig o drafnidiaeth o'dd ar y ffordd y noson honno ond yn sydyn daeth car heibio efo pregethwr neu ficer â choler gron, ond arhosodd o ddim, a sylw'r hen wraig o'dd, 'Ac yntau wedi bod yn trin y diafol drwy'r dydd!' Ond o'r diwedd arhosodd rywun a chyrhaeddais 'nôl i'r gwersyll yn ddiogel!

Yr un drefn o'dd yng ngwersyll Castellmartin, sef rhoi hyfforddiant i gadetiaid ysgolion bonedd Lloegr, ond y tro hwnnw synnais bod rhai o'r athrawon yn siarad Cymraeg! Ro'dd ambell un yn dod i'r swyddfa i basio'r amser tra o'dd y bechgyn yn brysur. Canodd y ffôn yn y swyddfa un diwrnod a llais dros y ffôn yn holi am, 'the Welsh speaking clerk'. Pwy o'dd yr holwr ond John Morris – gŵr a ddaeth ymhen amser yn Ysgrifennydd Gwladol Cymru. Fo o'dd *adjutant* y gwersyll. Cawsom sgwrs fer ac mae'n rhaid bod un o'r athrawon wedi sôn wrtho amdanaf. Pan o'dd John Morris yn Ysgrifennydd Gwladol Cymru daeth ar ymweliad â maes yr Eisteddfod Genedlaethol. Ro'n i'n digwydd bod ym mhabell y Mudiad Meithrin pan ddaeth i mewn i'r babell. Ces i gyfle i gael sgwrs ag o a'i holi a o'dd o'n cofio cael sgwrs dros y ffôn â chlerc o'dd yn Gymro Cymraeg pan o'dd o'n *adjutant* yng Nghastellmartin. Ond er fy mawr siom, methodd â chofio'r achlysur! Dechreuais amau fy nghof, ond ro'dd yr hanes yn wir gan i mi ei adrodd mewn llythyr at fy mam yr holl flynyddoedd yn ôl!

'Nôl wedyn i High Legh ac ailgydio yn fy mywyd yn swyddfa'r batri. Codais un bore ym mis Rhagfyr yn teimlo'n giami, a rhyw oerfel wedi dod drostaf, felly es i'r ganolfan feddygol i gael gweld y meddyg. Ro'dd *orderly* tua'r un oed â mi wrth y ddesg a gofynnodd i mi ddychwelyd i'r ganolfan ymhen awr gan fod y lle'n derbyn archwiliad ar y pryd! Felly, ymlwybrais braidd yn sigledig 'nôl i'r swyddfa gan ddychwelyd i'r ganolfan ymhen awr a chael cyfarwyddyd i nôl fy nillad gwely ac ati a mynd i gwt ger y ganolfan. Cyrhaeddais yno ac ro'dd pob ffenestr yn y cwt ar agor a dim tân yn y stof ar ganol y llawr, a hynny yn Rhagfyr! Crafangais i fy ngwely a cheisio cynhesu. Daeth yr *orderly* i gymryd fy nhymheredd ond mae'n amlwg fod y creadur yn meddwl 'mod i'm ffugio fy salwch a dywedodd wrthyf na fyddai'n dweud dim pe bawn i am bicio i'r NAFFI! Ar fy nghais cyneuodd dân yn y stof ac o'n i wedi cau'r ffenestri cyn gorwedd yn y gwely. Bues i yno ar fy mhen fy hun am oriau cyn i'r *orderly* ddychwelyd i gymryd fy nhymheredd eto. Rhuthrodd oddi yno, ac o fewn dim, daeth y meddyg i mewn a dweud bod ambiwlans ar ei ffordd i'm cludo i Ysbyty Militaraidd Caer gan fy mod i'n dioddef o'r ffliw!

Cyrhaeddais yr ysbyty ar stretsier yn hwyr y nos a dyma'r *orderly* yn dechrau llwytho pethau ar fy mrest fel tywel, pyjamas, myg, cyllell a fforc ac ati – cyn rhoi clipfwrdd o dan fy nhrwyn a gofyn i mi arwyddo am yr holl stwff! Bues i'n yr ysbyty am bythefnos cyn fy rhyddhau gartre am wythnos i ddod dros y salwch! Dyna o'dd y tro cyntaf erioed i mi ddathlu'r Nadolig ymhell o gartre a hynny mewn ysbyty!

Yn ystod fy nghyfnod yn High Legh dechreuais fynd i gapel Cymraeg yn Altrincham ar gyrion Manceinion bob Sul a chefais groeso hyfryd ymhlith y gynulleidfa yno. Hefyd bob nos Sadwrn os o'n i'n rhydd, byddwn i'n mynd i glwb Cymraeg ym Manceinion a mwynhau cymdeithasu â Chymry Cymraeg eraill.

8
Be Nesa?

Dechreuais feddwl am fy nyfodol ar ôl fy nghyfnod yn y fyddin wrth i fy amser yn High Legh ddirwyn i ben. Meddyliais yr hoffwn fynd yn athro Cymraeg, ac ar ôl darllen llyfr Dr Jac L. Williams, *Straeon y Meirw*, a gweld ei hanes ar gefn y llyfr, penderfynais y byddwn yn hoffi cael fy nysgu gan y gŵr hwn. Felly, gwnes gais am le yng Ngholeg y Drindod, Caerfyrddin lle o'dd Dr Jac L. yn bennaeth ar yr Adran y Gymraeg yno. Wedi cael amser i ffwrdd o'r fyddin i deithio i'r cyfweliad, cefais wybod fy mod wedi cael fy nerbyn i'r coleg, er mawr lawenydd i mi.

Gadewais y fyddin yn gynnar er mwyn mynd i Goleg y Drindod, ac felly ro'dd rhaid i mi ddychwelyd i'r fyddin yn yr haf y flwyddyn ganlynol i gwblhau fy amser yno, a chefais fynd i Yarmouth o bob man! Collais ymweliad â'r Eisteddfod Genedlaethol yr haf hwnnw er mawr siom! Yr unig beth a gofiaf am y pythefnos hwnnw yw'r llawenydd a deimlais o roi fy nghit milwrol yn ôl a dychwelyd adre'n ddyn rhydd!

Cyn mynd i'r coleg treuliais gyfnod o arsylwi yn fy hen ysgol gynradd yn Rhiwbeina. Profiad rhyfedd o'dd dychwelyd wedi'r holl flynyddoedd a llifodd yr atgofion am fy nghyfnod yno. Synnais o sylweddoli mor fach o'dd neuadd yr ysgol, a minnau'n meddwl ei bod hi'n neuadd fawr pan o'n i'n ddisgybl yno! Dwy flynedd o'dd hyd y cwrs pan es i i'r coleg yng Nghaerfyrddin, ac ar ddiwedd y cyfnod derbyniais dystysgrif (nid gradd fel heddiw). Dim ond tua dau gant o ddynion o'dd yn y coleg pan es i yno, a'r flwyddyn o'n i'n gadael y coleg derbyniwyd merched am y tro cyntaf.

Saith yn unig ohonom o'dd yn astudio'r Gymraeg fel prif

bwnc ac ro'dd darlithoedd Dr Jac bob amser yn ddiddorol, yn ystyrlon ac yn ysbrydoli. Canon Halliwell, o Wigan gynt, o'dd y prifathro ac oherwydd ei gysylltiadau â Wigan daeth nifer o hogiau o'r dre honno'n fyfyrwyr i'r coleg. Y flwyddyn es i yno oedd y tro cyntaf ro'dd hi'n bosib astudio popeth naill ai'n Gymraeg neu'n Saesneg. Dewisais Gymraeg fel fy mhrif bwnc a Cherddoriaeth a Chelf fel pynciau atodol. Ar ben hynny ro'dd darlithoedd am iechyd a sesiynau ymarfer corff yn rhai drwy gyfrwng y Gymraeg. Howard Lloyd o Faesteg o'dd y darlithydd chwaraeon ac ro'dd o'n darlithio drwy'r Gymraeg am y tro cyntaf, ac yntau wedi dysgu'r iaith cyn hynny. Cafodd lasenw, sef 'Clumpo', a Canon Hughes, y darlithydd Addysg, yn cael ei alw'n 'Flash Hughes' (am ei fod mor araf ei ffordd) a'r darlithydd Mathemateg yn 'D. Squared'! Ro'dd darlithydd Mathemateg arall o'r enw Mr Rees yn ein dysgu, a byddai weithiau'n adrodd straeon difyr i ni. Yr un a arhosodd yn y cof o'dd am arolygwr ysgolion yn ymweld ag ysgol wledig â mwyafrif y disgyblion yn blant fferm. Dyma'r arolygwr yn tynnu llun dafad ar y bwrdd du a gofyn i'r plant beth o'dd hi, a'r plant yn eistedd fel delwau a neb yn codi llaw, nes o'r diwedd dyma un disgybl yn codi ei fraich yn betrusgar ac yn dweud wrth yr arolygwr, 'Mae'n dipyn yn fyr yn y goes i fod yn *Cheviot*'! Ro'dd Canon Halliwell, y darlithwyr ac ymwelwyr yn eistedd wrth fwrdd hir ar lwyfan yn y ffreutur a ninnau'r myfyrwyr yn teimlo fel y werin bobl oddi tanyn nhw!

Ces rannu stafell efo Glyn Ifans o Lanfyllin yn Hostel Dewi ar y dechrau, ond am ryw reswm nid o'dd bywyd hostel yn dygymod â Glyn ac aeth i lety yn y dre yn ystod y tymor cyntaf. Ro'dd drws yr hostel yn cau am ddeg y nos a disgwyliwyd i bawb fod i mewn erbyn hynny! Ond gan bod y mwyafrif ohonom wedi bod yn y fyddin ro'dd hynny'n dipyn o fwrn i ni'r myfyrwyr oedd wedi arfer â mwy o ryddid. Torrwyd y rheol cau drws yr hostel am ddeg o'r gloch yn gyson, ac ro'dd y bechgyn o'dd yn cysgu yn y 'stafelloedd ar y llawr isa'n cael eu deffro'n aml gan bobl yn curo'u ffenestri am fynediad 'nôl i'r hostel!

Cyn y Nadolig yn fy mlwyddyn gyntaf yn y coleg ro'dd y myfyrwyr i gyd yn gorfod gwneud eu hymarfer dysgu, a chefais le yn Ysgol Gymraeg Bryntaf yng Nghaerdydd lle o'dd Enid Jones Davies, modryb Dafydd Iwan, yn brifathrawes. Ces fy rhoi yn nosbarth uchaf yr ysgol a mwynheais fy amser yn fawr yno – ro'dd awyrgylch gartrefol ac agos atoch yno.

Hefyd yn ystod fy mlwyddyn gyntaf cynhaliwyd ymryson areithio rhwng holl golegau Cymru, a dyma Dr Jac L. Williams yn sôn am hyn wrth y rhai ohonom o'dd yn astudio'r Gymraeg fel ein prif bwnc. Bu'n rhaid i ni gynnal sgwrs o'i flaen ac yna dewisodd Gwenallt Rees i fod yn gadeirydd tîm y coleg a Glyn Ifans i fod yn siaradwr a minnau wrth gefn, er mawr ofn i mi, gan nad o'n i erioed wedi siarad yn gyhoeddus yn unman heblaw am fy amser yn y grŵp trafod yn Ysgol Penarth. Yna, ychydig wythnosau cyn y rownd gyntaf aeth Glyn yn sâl efo'r frech goch, a daeth Dr Jac ataf a dweud hwyrach y byddai'n well i mi baratoi i gymryd ei le os nad o'dd o wedi gwella erbyn hynny. Wellodd o ddim mewn pryd, ac felly do'dd dim amdani ond paratoi i gymryd ei le. Trwy ryw ryfedd wyrth llwyddon ni i gyrraedd y rownd derfynol yn erbyn hogiau Prifysgol Bangor yng Ngholeg Hyfforddi'r Barri, ac eto er mawr syndod, enillon ni a derbyn brysgyll yn wobr. Ar ben hynny dyfarnwyd mai fi o'dd siaradwr gorau'r ymryson! Ro'dd llond bws dau lawr o hogiau'r Drindod wedi dod i'n cefnogi, a mawr o'dd y miri a'r gorfoledd pan gyhoeddwyd mai Coleg y Drindod o'dd yn bencampwyr.

Mae'n debyg bod ymddygiad myfyrwyr yn y cyfnod pan o'n i yn y coleg yn eithaf gwyllt. Y flwyddyn y cynhaliwyd Eisteddfod Ryng-golegol yn Aberystwyth penderfynodd nifer o aelodau Cymdeithas Gymraeg y coleg gystadlu ynddi. Fe'i cynhaliwyd yn Neuadd y Brenin yn y dre a llogwyd bws er

Gwenallt Rees a minnau yng Ngholeg y Drindod, Caerfyrddin yn ennill brysgyll yn Ymryson Areithio'r Colegau – 1956

mwyn ein cludo i'r Eisteddfod. Rywle tu allan i Lanbed gwelsom hen wraig ar gefn ei beic yn pedlo'n araf ar hyd y ffordd, a dyma gystadleuydd canu offeryn yn ymestyn ei drwmped ac yn agor drws y bws a rhoi chwythiad wrth basio'r hen wraig, a dyma hi'n dychryn ac yn syrthio i'r ffos! Gwarthus yntê! Ond ro'dd gwaeth i ddod yn Neuadd y Brenin! Ro'dd y lle yn fawr ac yn llawn o fyfyrwyr o bob cwr o Gymru, a rhwng y cystadlu ro'dd dipyn o firi wrth i rai chwistrellu dŵr o'u gynnau dŵr ar bawb, a myfyrwyr yn yr oriel yn taflu dŵr ar ben y myfyrwyr o'dd yn digwydd eistedd oddi tanynt. Doedd dim dewis ond eistedd yno dan ymbarél i gysgodi rhag y dŵr! Ond, yna dechreuwyd taflu blawd o'r oriel ar ben y myfyrwyr ar y llawr! Wel sôn am lanast! Yr wythnos ar ôl yr Eisteddfod derbyniodd pob coleg a fu'n cystadlu yn Aberystwyth lythyr yn dweud bod angen talu rhan o'r gost i lanhau'r difrod i'r neuadd adeg yr Eisteddfod!

Dwy flynedd o'dd hyd y cyrsiau hyfforddi yn fy amser i, ac felly yn fy ail flwyddyn ro'dd rhaid penderfynu beth i'w wneud nesa. Gadawodd fy ysbrydolwr y Dr Jac L. Williams, er fy siom, i fynd yn Ddeon y Gyfadran Addysg yn Aberystwyth ar ddiwedd fy mlwyddyn gyntaf. Yn ei le daeth Dr Bobi Jones i'r Drindod ac yn rhyfedd iawn, pan o'dd Dr Bobi yn fyfyriwr ym Mhrifysgol Caerdydd, bu'n gwneud ymarfer dysgu yn fy ysgol ym Mhenarth a bu'n fy nysgu yno. Clywsom am gwrs blwyddyn yn y Gyfadran Addysg yn Aberystwyth yn ymwneud â dwyieithrwydd, ac felly penderfynais i a fy ffrind, Gwenallt Rees, ymgeisio am le ar y cwrs hwnnw yn hytrach na chwilio am swyddi dysgu ar ddiwedd ein hamser yn y Drindod. Arhosodd chwech ohonom mewn tŷ o'r enw Waverley ger yr orsaf yn Aberystwyth, gan gynnwys Elfed Roberts fy nghyfyrder o Benrhyndeudraeth! Doeddwn heb ei weld ers y pythefnos cyntaf hwnnw yn y fyddin yng Nghroesoswallt!

Ro'dd naw ohonom ar y cwrs yn y Gyfadran Addysg a leolwyd bryd hynny mewn tŷ gyferbyn â'r promenâd. Bu Dr Jac, Dr Gwenan Jones, Dr Saer a Dr Mary Clements yn darlithio i ni, a chawsom fynd i ambell ddarlith gan Gwenallt. Ar y pryd ro'dd Gwenallt yn darlithio ar y gerdd 'Dinistr Jeriwsalem' gan Eben Fardd – o'dd dipyn yn sych i mi o'dd â'm bryd ar ddysgu mewn ysgol gynradd! Un arall a ddarlithiodd i ni yn yr Adran Gelf o'dd R. L. Gapper a gynlluniodd fathodyn yr Urdd. Cofiaf Dr Mary Clements yn darlithio ryw dro ac yn sôn am y dylanwad Seisnig cynyddol ar y wlad yn yr ugeinfed ganrif a llawer o'r werin bobl yn troi eu cefnau ar y Gymraeg er mwyn i'w plant 'ddod ymlaen yn y byd' a dywedodd, 'Ie, Cymraeg o'dd iaith y galon ond Saesneg o'dd iaith y bol.' Mae'r geiriau hyn wedi aros yn fy nghof byth ers ar hynny!

Gŵr craff o'dd Dr Jac L. Williams. Yn ystod yr ail dymor yn Aber trefnodd daith i ni i'r gogledd i ymweld â gwahanol ysgolion a ninnau wedyn yn 'sgrifennu adroddiad am yr hyn a welsom. Ymwelom ag ysgol gynradd Saesneg ei chyfrwng yn y Rhyl – a gwyliom wers ail iaith yno – cyn ymweld ag Ysgol Uwchradd Gymraeg Glan Clwyd o'dd newydd ei sefydlu ym 1956, sef yr ysgol uwchradd Gymraeg gyntaf yng Nghymru, diolch i weledigaeth Dr Haydn Williams, Cyfarwyddwr Addysg sir y Fflint. Haydn Thomas o'dd y prifathro cyntaf, a chawsom groeso twymgalon ganddo i'r ysgol. Cefais y fraint o'i gyfarfod am sgwrs flynyddoedd wedyn ar faes Eisteddfod y Fenni ychydig amser cyn iddo farw. Ymwelom wedyn ag Ysgol Gynradd Machynlleth a chlywed am sefyllfa'r Gymraeg yn yr ysgol honno.

Ymweld ag Ysgol Glan Clwyd, y Rhyl, gydag aelodau o gwrs Cymraeg yn y coleg yn Aberystwyth – 1957

Ar ben hynny ro'dd rhaid i ni yn ein tro ddysgu gwersi Cymraeg ail iaith o flaen ein cyd-fyfyrwyr yn ysgol cyfrwng Saesneg Plascrug yn Aberystwyth. Ro'dd hyn yn dipyn o straen gan fod trafodaeth am y perfformiad ar ddiwedd y gwersi! Yna i goroni'r flwyddyn ro'dd rhaid i ni wneud ymarfer dysgu a chafodd Elfed Roberts fy nghyfyrder a minnau ein hanfon i Ysgol Gynradd y Bermo. Yn brifathro ar yr ysgol o'dd W. D. Williams, ac ro'dd yn dipyn o feistr gan ddisgwyl i ni baratoi'n drylwyr a bod ar amser yn ein gwersi. Ro'dd yr ysgol bryd hynny wedi ei ffrydio efo adran Gymraeg ac adran Saesneg. Arhosodd Elfed a minnau ym Mhenrhyndeudraeth a theithio ar y trên oddi yno i'r Bermo bob bore. Pwy o'dd ar y trên un bore ond y llyfrbryf Bob Owen, Croesor, a dyma fo'n dechrau holi fy mherfedd, minnau'n dweud fy mod i'n un o deulu'r Erw ym Mhenrhyndeudraeth ac yntau'n llawn brwdfrydedd yn dweud fy mod i o gyff Owain Gwynedd!

Un bore arall wrth i Elfed a minnau sgwrsio ar y trên dyma sôn am gân Saesneg am arch Noa, ac awgrymodd Elfed ein bod yn ceisio 'sgrifennu geiriau Cymraeg i'r gân, a dyma feddwl am y cytgan sef, 'Ribidirês, ribidirês, i mewn i'r Arch â nhw'. Yna, ar ôl cyrraedd yr ysgol dyma sôn wrth W.D. am ein hymdrech i geisio 'sgrifennu penillion i'r gân. Erbyn amser chwarae y bore hwnnw ro'dd W.D. wedi 'sgrifennu pedwar pennill o'dd yn dechrau efo'r geiriau 'Yr eliffant mawr a'r cangarŵ, i mewn i'r Arch â nhw...', ac ati. Daeth y gân yn boblogaidd, yn arbennig gan blant a phobl ifanc a bu dipyn o ganu arni. Fisoedd wedyn ymddangosodd y gân yng nghylchgrawn *Yr Athro* dan nawdd UCAC a W.D. o'dd y golygydd ar y pryd a fy enw i wrth y penillion! Ces fraw a minnau erioed wedi ceisio 'sgrifennu barddoniaeth o unrhyw fath yn fy mywyd, a bu'n rhaid i mi esbonio i nifer o bobl nad fi o'dd awdur y gân!

Ar ddiwedd y cwrs yn Aber safom arholiad a derbyn diploma am basio. Y dasg nesa o'dd chwilio am swydd a gwnes gais am swydd yn sir y Fflint – heb lwc, ond llwyddodd fy ffrind, Gwenallt Rees ac aeth i ddysgu yn sir y Fflint.

Yn ystod y flwyddyn yn Aber ymunais â Chymdeithas yr Urdd bob nos Wener yng Nghanolfan yr Urdd ar Heol

Llanbadarn i chwarae tennis bwrdd a gwrando ar sgyrsiau a chanu alawon gwerin ac ati. Byddwn hefyd yn mynd i oedfaon nos yng Nghapel Seilo, ac ar ôl hynny, yn mynd i Gymdeithas y Gram Soc i wrando ar ddewis o recordiau gan wahanol wahoddedigion. Mynychais gyngherddau yn y coleg o'dd ag artistiaid amlwg yn cymryd rhan ynddyn nhw. Un noson gwrandewais ar sgwrs gan Llwyd o'r Bryn a chael fy ngoglais pan soniodd ei fod fel 'pysgodyn mewn cae tatws' mewn rhyw sefyllfa neu'i gilydd! Pinacl bob wythnos o'dd mynd i'r Neuadd Fawr yn y coleg bob pnawn Sul i ymarfer Côr y Myfyrwyr efo dros gant a hanner o fyfyrwyr ynddo. Ro'n i wrth fy modd yn canu mewn côr mor fawr, ac ar ddiwedd pob ymarfer byddai nifer ohonom yn cerdded i ben draw'r prom i gicio'r bar o'dd yn draddodiad yn y coleg. Tra o'n i yn Aber daeth myfyrwyr o Brifysgol Abertawe, yn ôl y sôn, i'r dre liw nos gan lifio'r bar! Trefnodd Cyngor y Dref i osod bar arall yn ei le er mwyn parhau â'r traddodiad o gicio'r bar!

Yn ystod fy ail flwyddyn yn y coleg cynhaliwyd etholiad yng Nghaerfyrddin ac ymgeisydd Plaid Cymru o'dd Jennie Eirian. Dechreuais ddosbarthu taflenni ar ei rhan o gwmpas tre Caerfyrddin, ac er mwyn arbed amser un pnawn neidiais dros ffens rhwng dau dŷ yn hytrach na mynd o un tŷ i'r llall gan gau y gatiau ar fy ôl. Yn anffodus, dyma fi'n dal blaen fy nhroed ar weiren yn y ffens a glanio ar lawr y tŷ nesa a thorri blaen fy mhenelin yn y broses! Daeth Dr Bobi Jones i'm cludo 'nôl i'r coleg, a'r diwrnod wedyn bu'n rhaid i mi fynd i Ysbyty Glangwili i gael sgriw yn y penelin! Cefais lawdriniaeth ar fore Dydd Gŵyl Ddewi, sef diwrnod cyhoeddi canlyniad yr etholiad! Fel o'n i'n cael fy rowlio ar droli i'r theatr, gofynnodd y nyrs i mi a hoffwn wybod pwy o'dd wedi ennill yr etholiad! Ond chwarae teg i Jennie a'i gŵr Eirian daethon nhw i fy ngweld yn yr ysbyty cyn i mi fynd 'nôl i'r coleg. Malais asgwrn yn fy mhenelin chwith a chan fy mod i'n llaw chwith methais â

’sgrifennu gair am wythnosau yn fy llyfrau nodiadau. Gwnes ymarfer dysgu yn Ysgol Heol Lansdowne, yn Nhreganna, Caerdydd heb allu paratoi fy ngwersi ar bapur! Bues i’n gwneud fy ymarfer dysgu yn yr ysgol hon ddwywaith, ac yn ddigon ffodus i gael cymorth Myfanwy Jenkins, athrawes Gymraeg yr ysgol, yn y grefft o ddysgu Cymraeg fel ail iaith. Ni feddyliais i erioed bryd hynny y byddwn i ymhen misoedd yn dychwelyd i ddysgu Cymraeg yn y ddinas!

9
’Nôl i Gaerdydd

Dychwelais adre i Gaerdydd ym 1959, a phenderfynais fynd yn bersonol i Swyddfa Addysg Caerdydd i holi a o’dd ’na swydd ar gael. ‘Na’ o’dd yr ateb i ddechrau, ond yn sydyn newidiodd y swyddog ei feddwl gan ddweud bod na ddwy swydd dysgu Cymraeg ar gael, un yn Ysgol Gynradd Trelái, ac un arall yn Ysgol Gynradd Ton yr Ywen, a threfnwyd fy mod i’n cael cyfweliad. Heb yn wybod i mi, ro’dd Marian Rees o ardal Machynlleth gynt, a fu ar yr un cwrs â mi yn Aberystwyth, wedi gwneud cais am swydd hefyd. Yn y diwedd cefais i fy anfon i Ysgol Trelái ar stad fawr o dai ar gyrion Caerdydd a chafodd Marian fynd i Ysgol Ton yr Ywen yn ardal Llanisien.

Er bod ’na feirniadaeth am ddiffyg Cymreictod Caerdydd yng ngolwg llawer o bobl, rhaid amddiffyn agwedd Adran Addysg y ddinas am eu polisi goleuedig yn y cyfnod hwn tuag at y Gymraeg gan eu bod yn penodi athrawon Cymraeg ifanc a brwd i fod yn arbenigwyr yr iaith bron ymhob ysgol gynradd o fewn y ddinas. O ganlyniad, gwelwyd twf aruthrol yng ngweithgareddau’r Urdd a chafodd y disgyblion gystadlu mewn eisteddfodau, ym mabolgampau’r Urdd a mynychu gwersyll yr Urdd yn Llangrannog. Yn ystod y cyfnod hwn hefyd crisialodd fy meddwl fy mod i’n mynd i ganolbwyntio fy ymdrechion dros yr iaith drwy’r Urdd, achos heb blant a phobl ifanc yn medru’r iaith neu yn dysgu’r iaith, nid o’dd fawr o obaith i barhad y Gymraeg. Wnes i ddim troi cefn ar fy naliadau gwleidyddol, ond o’n i’n gweld nod y Blaid am annibyniaeth yn bolisi hirdymor, ac felly ro’dd rhaid taro’n syth, a mudiad fel yr Urdd o’dd y gobaith pennaf.

Ro’dd fy swydd dysgu gyntaf yn Nhrelái yn dipyn o sialens,

Fi yn Ysgol Treláі gyda phlant Cangen yr Urdd – 1961

ond bues yno'n dysgu yn yr ysgol am ddeuddeng mlynedd, ac ro'n i'n hoff iawn o agwedd y disgyblion tuag at yr iaith. Bu'r plant yn cystadlu yn Eisteddfod Gylch yr Urdd a bu nifer ohonyn nhw yng Ngwersyll yr Urdd Llangrannog bob blwyddyn ac yn mwynhau'r profiad yn fawr iawn. Nid o'dd yr ysgol wedi ei ffrydio bryd hynny, a chofiaf fynd am y tro cyntaf lawr coridor hir i ddysgu Dosbarth 4A, a phan agorais i'r drws ro'dd bron hanner cant o blant yn eistedd mewn rhesi yn fy nisgwyl! Sôn am deimlo'n wan! Ond dyfal donc o'dd hi, a chwarae teg i'r plant yn yr ysgol ro'dd eu hymateb yn y gwersi Cymraeg yn ffafriol.

Pan ddechreuais fynd â disgyblion o'r ysgol i Wersyll yr Urdd Llangrannog do'dd dim cyrsiau Cymraeg i ddysgwyr, dim ond wythnosau Cymraeg ac wythnosau di-Gymraeg, ac felly ar y dechrau siaredid Saesneg â'r plant yn yr wythnosau di-Gymraeg, ond ceisid rhoi naws Gymreig drwy gael y plant i ganu yn Gymraeg a siarad mymryn o Gymraeg â nhw. Ond do'dd hyn ddim wrth fodd llawer ohonom ni athrawon Cymraeg Caerdydd fyddai'n dod efo'r plant i'r gwersyll. Penderfynwyd apelio i'r Urdd i droi'r wythnosau ar gyfer y di-Gymraeg yn wythnosau cyrsiau Cymraeg. Nid o'dd rhai o bobl bwysig yr Urdd o blaid hyn ac yn dweud mai wythnosau o wyliau o'dd Llangrannog i fod, nid ysgol! Ond wrth lwc ro'dd Gwennant Davies, Pennaeth yr Adran Gŵyl a Gwersylloedd yn Swyddfa'r Urdd yn Aberystwyth yn fodlon gwrando ar ein cwyn a chytunwyd i drefnu wythnos o gwrs i'r di-Gymraeg yr haf canlynol. Felly, ro'dd rhaid mynd ati wedyn i drefnu cynnwys yr wythnos yn ofalus i sicrhau llwyddiant ac i brofi i'r amheuwyr yn yr Urdd ei fod yn bosibl dysgu Cymraeg i'r plant a mwynhau gweithgareddau'r gwersyll yr un pryd. Daeth criw bychan ohonom ni ynghyd a pharatoi'n drwyadl ar gyfer yr arbrawf hwn. Comisiynwyd yr athro Cymraeg ysbrydoledig, Dan Lynn James, i 'sgrifennu geiriau pwrpasol ar y dôn 'Mae popeth yn dda' gan fod y geiriau gwreiddiol mor erchyll. Dyma'r emyn:

O diolch i'r Iesu
Am wyliau yn y wlad,
Am wythnos o wersyll
O diolch o Dad,
Am groeso a chwmni
A hwyl glan y môr,
Diolchwn i'r Iesu
Bob dydd fel un côr.

O diolch i'r Iesu
Am fudiad yr Urdd,
Wrth wisgo bathodyn
Lliw gwyn coch a gwyrdd.
Os byddwn yn ffyddlon
I Gymru a Christ
A charu ein cyd-ddyn
Ni fydd neb yn drist.

O diolch i'r Iesu
Ein bod ni yn iach,
A'n bod ni'n cael clywed
Sŵn cân adar bach.
O diolch am lygaid
I weld popeth byw
A harddwch y blodau
A grëwyd gan Dduw.

Cytgan:
Mae bywyd yn braf (2)
Mae bywyd yn felys
Mae bywyd yn braf
Mae bywyd yn braf *ac ati.*

Bu'r wythnos arbrofol yn llwyddiant ysgubol a throdd pawb am adre ar ddiwedd yr wythnos dan ganu. Ar ôl y llwyddiant hwn mabwysiadodd yr Urdd y syniad, ac am flynyddoedd lawer cynhaliwyd cyrsiau Cymraeg i ddysgwyr, nid yn unig yng Ngwersyll yr Urdd Llangrannog ond yng Ngwersyll yr Urdd Glan-llyn hefyd. Bob Pasg edrychwn ymlaen at fynd yn swog i Lan-llyn ar gwrs i'r Chweched Dosbarth o'dd yn astudio'r Gymraeg fel ail iaith yn ysgolion cyfrwng Saesneg Cymru, a hynny dan arweiniad yr athro ysbrydoledig Alun Jones a fu'n athro Cymraeg llwyddiannus yn Ysgol Ramadeg y Bechgyn Pontypridd, Ysgol y Moelwyn, Blaenau Ffestiniog ac Ysgol Gyfun Penweddig yn Aberystwyth yn ystod ei yrfa. Bu i'r ymdrech i wireddu'r cyrsiau hyn yn y gwersylloedd dalu ar ei chanfed gan i nifer o ddisgyblion ar y cwrs hwn ddod yn amlwg ym mywyd Cymraeg Cymru ymhen amser.

10
Fy Nghysylltiad â'r Urdd

Dechreuodd fy nghysylltiad â'r Urdd pan o'n i yn y coleg gan fynd yn swog i Wersyll yr Urdd yn Llangrannog. Ro'dd criw o bobl ifanc o bob cwr o Gymru yn dod i'r gwersyll fel swogs ac yn rhoi eu hamser yn wirfoddol. Yn y cyfnod hwn ro'dd llawer o fyfyrwyr y colegau yn dod yn ystod eu gwyliau haf gan nad o'dd yr ysfa i grwydro'r byd wedi cydio ar y pryd. Yn Llangrannog dechreuodd fy niddordeb mewn dawnsio gwerin, a bu hyn yn gymorth mawr i mi ymhen blynyddoedd pan ddechreuais alw mewn twmpathau dawns yn y de ddwyrain a hefyd wrth arwain Aelwyd yr Urdd yng Nghaerdydd.

Wrth i'r cyrsiau Cymraeg yn Llangrannog ddod yn fwy poblogaidd dechreuwyd cynnal cyrsiau tebyg yng Ngwersyll yr Urdd yng Nglan-llyn, a bu'r rhain hefyd yn hynod o lwyddiannus, ac felly dechreuais fynd i Lan-llyn i arwain rhai o'r cyrsiau yno. Mwynheais y profiad o arwain cyrsiau yn y ddau wersyll, a braf o'dd cael cyfle i nofio yn y môr yn Llangrannog ac yn y llyn yng Nglan-llyn.

Cwrs Cymraeg yng Ngwersyll yr Urdd Llangrannog (Colin Jackson ar y chwith)

Un pnawn penderfynais y byddwn yn ceisio nofio lled Llyn Tegid ac ymunodd un o'r gwersyllwyr o'dd yn perthyn i glwb nofio yng Nghaerdydd efo mi. Cawsom un o'r swogs i'n rhwyfo i ochr draw'r llyn er mwyn i ni nofio'n ôl i lanfa'r gwersyll, gyda'r cwch wedyn yn rhwyfo'n ôl â'r swog yn cadw llygad arnom rhag ofn i ni ddiffygio! Ond do'dd dim angen poeni am y gwersyllwr gan ei fod yn nofio fel pysgodyn, a chyrhaeddodd y lanfa ymhell o'm blaen i! Ro'dd afon Ddyfrdwy'n llifo drwy'r llyn â'r dŵr yn oerach wrth nofio drwy'r afon. Cafodd y ddau ohonom dystysgrif gan bennaeth y gwersyll yn tystio i ni gyflawni'r gamp o nofio lled y llyn! Bues i'n gweithio yn y gwersylloedd yn f'amser hamdden am flynyddoedd lawer, a chefais lawer o bleser yn gweld cynnydd yn yr iaith ymhlith y gwersyllwyr. Arweiniais hefyd nifer o gyrsiau penwythnos Cymdeithas yr Iaith a fu'n boblogaidd iawn yn Llangrannog yn bennaf, ac yn aml byddai tua chant o ddysgwyr yn mynychu'r rhain.

Y tro cyntaf i mi fynd i gopa'r Wyddfa o'dd efo'r teulu a brawd fy nhad, Ellis Ifor, yn arwain y ffordd pan o'n i'n aros ym Mhenrhyndeudraeth. Aethom i fyny ar hyd llwybr Rhyd-ddu a disgyn ar hyd Bwlch y Saethau i Nant Gwynant. Yn anffodus, daeth hi'n niwl wrth i ni ymlwybro ar hyd Bwlch y Saethau ac oherwydd bod fy mrawd a minnau'n gweld yr oedolion mor araf, dyma ni'n mynd yn ein blaenau a diflannu i'r niwl. Cyrhaeddom Nant Gwynant yn ddiogel, ond wrth gwrs ro'dd y teulu'n poeni amdanom a chlywsom ein mam yn gweiddi'n y niwl, 'Wynn!', 'Gwilym!' Cawsom dipyn o stŵr am ein rhyfyg yn mentro hebddyn nhw yn y niwl!

Yna, wrth ddod yn swog ac arweinydd cyrsiau iaith yng Nglan-llyn dros y blynyddoedd cefais gyfle i fynd i ben yr Wyddfa sawl tro. Yr arfer o'dd cynnig gwahanol deithiau i'r gwersyllwyr ar y dydd Iau, a'r dewis o'dd mynd ar fws o gwmpas sir Feirionnydd, dringo'r Wyddfa neu aros yn lleol.

Pennaeth y gwersyll, John Eric Williams, a Dei Tomos fyddai'n arwain y teithiau i ben yr Wyddfa ar hyd y llwybr ger hostel yr YHA Llyn Cwellyn. Byddem yn aros hanner ffordd i'r copa i gael byrbryd a chyfle i edmygu'r golygfeydd godidog draw i Benrhyn Llŷn ac ardal Llanberis, cyn ymuno â'r llwybr wrth ochr cledrau'r trên bach i'r copa. Weithiau, ro'n ni'n lwcus a chael mwynhau'r golygfeydd, ond ambell dro er siom i bawb byddem yn cyrraedd y copa yn y niwl! Uchafbwynt fy mherthynas â'r Wyddfa o'dd gwneud y bedol yng nghwmni ffrind i mi o'r enw Davyth Fear o Gernyw gynt. Gan gychwyn o Ben-y-pas aethom fyny am Grib Goch cyn cyrraedd y copa ac yna dod 'nôl i lawr dros y Lliwedd i Ben-y-pas. Mae'n rhaid cyfaddef i mi gael llond bol o ofn yn crafangu ar hyd Crib Goch a bues i ar fy mhedwar mewn ambell fan yno!

Unwaith cofiaf i ni fynd i gopa Cader Idris yn hytrach na'r Wyddfa a daeth hi'n niwl ar y copa. Fel yr o'n ni'n gorffwys yno cyn mynd yn ôl i Ddolgellau, ymddangosodd dau ddyn drwy'r niwl ac un ohonyn nhw'n dweud, 'Mr Roberts, ai e?' Ro'dd o'n gyn ddisgybl i mi yng Nghaerdydd ac ar wyliau yn yr ardal efo criw o sgowtiaid! Braf gweld cyn ddisgyblion yn fy nghofio!

Ar ddechrau Ionawr 1982 trefnwyd Cwrs Calan i bedwar ugain o ddisgyblion y Pumed Dosbarth o ysgolion uwchradd Caerdydd yn Llangrannog. Dechreuodd y cwrs ar y dydd Llun ac ro'dd i fod i orffen ar y bore Gwener. Cafwyd cwrs ardderchog a phawb yn mwynhau'r profiad, ac ar y nos Iau paratowyd i ddathlu diwedd y cwrs drwy gynnal dawns yn y gampfa. Gyda'r nos ffoniodd Bryan Jones, Prif Weithredwr y Mudiad Meithrin, i gael gair â mi gan fy mod i fod i fynd i gyfarfod yn Aberystwyth ar y dydd Gwener. Ro'dd Bryan am ohirio'r cyfarfod gan ei bod yn bwrw eira yng Nghaerdydd. Edrychais drwy'r ffenest a welais i ddim pluen o eira tu allan. Ar ôl y ddawns aeth pawb i'w gwelyau gan edrych ymlaen at ddychwelyd adre'r bore trannoeth. Ond do'dd hyn ddim i fod!

Deffrom i droedfeddi o eira o'dd wedi syrthio dros nos a phawb yn gaeth yn y gwersyll! Wrth wylio'r teledu gwelsom luniau o'r golygfeydd mewn mannau eraill yng Nghymru a sylweddoli difrifoldeb y sefyllfa. Wrth lwc ro'dd digon o fwyd yn y gegin a rhoddwyd blancedi ychwanegol i bawb rhag yr oerfel a cheisiwyd trefnu digwyddiadau i ddiddanu'r pedwar ugain o ddisgyblion.

Gwersyll yr Urdd Llangrannog yn ystod yr eira mawr a drawodd y wlad yn ddrwg – 1982

Aeth rhai ohonom ni allan o'r gwersyll i wneud *recce* a gweld bod yr eira'n drwch ymhob man. Llwyddom i gyrraedd y pentre a gweld bod y môr wedi rhewi hefyd! Ro'dd dwy ferch ar y cwrs yn dioddef o epilepsi a dim ond digon o dabledi am gyfnod y cwrs o'dd ganddyn nhw. Dechreuodd un gael ffitiau ac felly daeth hofrennydd i'r gwersyll i'w chasglu a mynd â hi i'r ysbyty yn Aberystwyth. Ro'dd rhaid gwneud croes o sachau ar waelod cae'r gwersyll i ddangos i'r hofrennydd ble i lanio, ac aeth pawb o'r gwersyll allan o flaen y neuadd fwyta i wylio'r digwyddiad dramatig!

O'r diwedd, ac erbyn dydd Iau, llwyddodd y bysiau i gyrraedd y ffordd fawr tu allan i'r gwersyll. Llwythwyd cesys a bagiau'r gwersyllwyr ar gart efo tractor ond ro'dd rhaid i'r gwersyllwyr eu hunain gerdded drwy'r eira at y bysiau. Ro'dd nifer ohonom ni'r swogs wedi dod i'r gwersyll yn ein ceir ac felly penderfynom aros tan y bore trannoeth cyn mentro anelu am adre. Ro'dd llawer o eira'n dal ar yr M4 a chymerodd oriau i mi gyrraedd 'nôl i Gaerdydd.

Treuliais wythnosau lawer o fy mywyd yng ngwersylloedd yr Urdd a chyfarfod â nifer o gyd swyddogion a miloedd o bobl ifanc o bob cwr o Gymru. Hoffwn feddwl i'r amser yn y gwersylloedd roi atgofion pleserus iddynt hwythau, y cyfle i ymarfer eu Cymraeg, ac ysgogi eu cariad tuag at yr iaith a'u hannog i fyw eu bywydau drwy gyfrwng y Gymraeg.

11
Ymateb i Amddifadedd

Addysg Saesneg a dderbyniodd fy mrawd a minnau o ganlyniad i ddiffyg addysg Gymraeg yng Nghaerdydd ar y pryd, a thros y blynyddoedd teimlais fy mod wedi cael fy amddifadu o'r cyfle i gael fy nhrwytho yn nhraddodiadau a diwylliant cynhenid fy ngwlad. Felly ar ôl dod 'nôl i fyw i Riwbeina ym 1959 i ddysgu yng Nghaerdydd, penderfynais feddwl am sefydlu Cylch Meithrin Cymraeg yn Rhiwbeina ac i wneud cais i'r awdurdod addysg i sefydlu ysgol Gymraeg yn yr ardal.

Ymgynghorais â Gwyn Daniel – o'dd yn Ysgrifennydd UCAC ac yn brifathro yn Ysgol Gwaelod-y-garth – a chytunodd i ddod efo fi ar daith genhadu o gwmpas y pentre i weld faint o ddiddordeb fyddai mewn sefydlu Cylch Meithrin yn yr ardal. Yna, trefnwyd cyfarfod yn y pentre i wyntyllu'r syniad ymhellach ac arweiniodd hynny at fynd ati i sefydlu'r cylch yn Rhiwbeina. Cynigiodd Bethan Roberts a Sally Hughes i arwain y cylch ar y dechrau a gofynnwyd i mi chwilio am leoliad addas i'w gynnal. Ffurfiwyd pwyllgor hefyd a phenodwyd Iwan Jones yn gadeirydd a minnau'n ysgrifennydd. Ni feddyliais erioed y byddwn yn y swydd am 31 o flynyddoedd tan 1991 pan es i draw i Batagonia am flwyddyn i ddysgu Cymraeg yno!

Llwyddwyd i sicrhau 'stafell yn neuadd goffa'r pentre am dâl rhesymol ac agorodd y cylch ym mis Hydref 1959 gan ddisgwyl dwsin o blant ar y bore cyntaf – ond yn lle hynny daeth ugain o blant ynghyd! Ro'dd na broblem ddilyniant i blant y cylch gan fod Rhiwbeina yn yr hen sir Forgannwg ar y pryd, a'r ysgol Gymraeg agosaf yn ninas Caerdydd. Ro'dd rhaid i rieni'r cylch o'dd am gael addysg Gymraeg i'w plant wneud eu trefniadau eu hunain i anfon y plant i Ysgol Bryntaf yn

Cylch Meithrin Rhiwbeina

Llandaf. Ond ar ôl hynny yn ystod 1981/2, llwyddwyd i agor uned Gymraeg mewn ysgol newydd sbon yn Heol Llanisien Fach, yn Rhiwbeina. Prifathrawes yr ysgol newydd o'dd Eluned Bere. Cymraes i'r carn a ddeuai'n wreiddiol o ardal y Bala ac yn ddisgynnydd i Michael D. Jones, prif sylfaenydd y Wladfa Gymreig ym Mhatagonia. Llwyddwyd i agor yr uned drwy ymdrechion y Prifardd Geraint Bowen o'dd yn arolygwr ysgolion yn yr ardal ar y pryd ac yn byw yn Rhiwbeina! Ond pan ddaeth Rhiwbeina'n rhan o Gaerdydd caewyd yr uned Gymraeg er mawr siom i'r rhieni, a throsglwyddwyd y disgyblion i hen ysgol Viriamu Jones yn ardal Gabalfa i ymuno â disgyblion Ysgol Bryntaf a adleolwyd o'u safle hwythau yn Llandaf. Rhwng y disgyblion i gyd ro'dd tua 700 o ddisgyblion pan symudwyd y plant eto i hen Ysgol Uwchradd y Merched yn y Parade ynghanol Caerdydd dan eu prifathro, Tom Evans.

Nid o'dd yr holl symudiadau hyn wrth fodd y rhieni a phwyswyd ar yr Awdurdod Addysg i agor mwy o ysgolion cyfrwng Cymraeg i ateb y galw cynyddol am addysg Gymraeg o fewn y ddinas. Ar yr un pryd ro'dd ymgyrch gan Bwyllgor

Canolog Ysgolion Meithrin Caerdydd i ehangu darpariaeth addysg feithrin Gymraeg ymhob rhan o'r ddinas, ac felly yn rhoi pwysau ychwanegol ar yr Awdurdod i ehangu addysg Gymraeg. Fe'm siomwyd i'n bersonol pan na lwyddwyd i gael ysgol Gymraeg o fewn fy milltir sgwâr yn Rhiwbeina, ond o leiaf mae plant y pentre rŵan yn gallu mynychu Ysgol Gymraeg y Wern yn Llanisien, y pentre agosaf at Riwbeina.

Yn ystod un o gyfarfodydd Pwyllgor Canolog Ysgolion Meithrin Caerdydd cododd y syniad o fynd ati i sefydlu mudiad cenedlaethol i gyfundrefnu addysg feithrin Gymraeg yn y wlad. O ganlyniad i'r syniad hwn cynhaliwyd dau gyfarfod ar faes Eisteddfod Genedlaethol Bangor ym 1971 gan UCAC ac Undeb Rhieni Ysgolion Cymraeg i wyntyllu'r holl fater. Dangoswyd diddordeb mawr yn ystod y cyfarfodydd ac felly trefnwyd cyfarfod cenedlaethol yng Nghanolfan yr Urdd yn Aberystwyth ym Medi 1971. Daeth cynrychiolwyr o bob cwr o Gymru i'r cyfarfod a phasiwyd yn unfrydol i sefydlu Mudiad Meithrin efo Emyr Jenkins yn gadeirydd y pwyllgor cenedlaethol a Bethan Roberts yn ysgrifennydd, a dewiswyd pwyllgor o bobl o bob

Cyfarfod blynyddol Mudiad Meithrin Tŷ Dyffryn, Bro Morgannwg – 1987

cwr o'r wlad. Bues i'n ddigon gwirion i godi ar fy nhraed i sôn am sefydlu swyddfa a bwletin i gadw pawb mewn cysylltiad, a Dr Jac L. Williams yn awgrymu y dylwn i fod yn gyfrifol am drefnu'r bwletin! Bues i'n y rôl honno tan 1991 pan es i ddysgu Cymraeg ym Mhatagonia, ac o ganlyniad methais â golygu yr hanner canfed rhifyn o'r bwletin, a fu'n ffynhonnell sylweddol ar gyfer gwaith Catrin Stevens yn ei llyfr: *Meithrin Hanes Mudiad Ysgolion Meithrin 1971–1996*.

Ces y fraint o fod yn gadeirydd cenedlaethol y Mudiad am bedair blynedd o 1981 hyd 1985, ac ro'n i wrth fy modd yn gweld y Mudiad yn datblygu ac yn aeddfedu. Ar ddiwedd fy nghyfnod fel cadeirydd penderfynais y byddwn yn codi arian ar ei gyfer drwy redeg mini marathon yr Urdd o gwmpas Llyn Tegid ym 1985, a chyflwynais siec o £4,627 i'r mudiad yn ystod y cyfarfod blynyddol yn y Rhondda. Dyma fudiad arall a fu – ac sy'n parhau i fod yn allweddol wrth fagu a meithrin Cymry Cymraeg yng Nghymru heddiw, a theimlaf yn freintiedig iawn o fod yn rhan mor allweddol ohono.

Mini marathon yr Urdd o gwmpas Llyn Tegid – 1985

Mini marathon yr Urdd, Glan-llyn – 1986

12
Aelwyd yng Nghaerdydd

Dychwelais i Gaerdydd ar ôl dyddiau coleg yn llawn sêl a brwdfrydedd i ddysgu Cymraeg yn y ddinas, ac ar ôl sefydlu Cylch Meithrin Rhiwbeina trodd fy ngolygon i gynorthwyo sefydlu Aelwyd yr Urdd ar gyfer ieuenctid y ddinas.

Ro'dd nifer o bobl ifanc cynnyrch Ysgol Bryntaf yn mynychu ysgolion cyfrwng Saesneg yn y ddinas gan nad o'dd addysg uwchradd Gymraeg ar gael bryd hynny, a dechreuon nhw sôn yr hoffent weld sefydlu Aelwyd. Felly, yn anffurfiol yn Ionawr 1959, daeth deg o bobl ifanc hŷn ynghyd yn Nhŷ'r Cymry i drafod y syniad, sef, Lena Harries, Tedi Millward, Marion Rees, Gwilym Thomas, Sheila Jones, Ethni Daniel, Dolig Griffiths, Gillian Davies a minnau – a phenderfynwyd agor yr Aelwyd yn swyddogol y Sadwrn canlynol a chyfarfod bob nos Sadwrn wedyn o hynny ymlaen. Daeth tua deg ar hugain ynghyd i'r agoriad swyddogol a threfnwyd nifer o weithgareddau am y tymor cyntaf. Owain Arwel Hughes a benodwyd yn ysgrifennydd yr Aelwyd ac aeth ati i sefydlu parti merched a chôr cymysg gan ddenu nifer o'i gyd-ddisgyblion o Ysgol Uwchradd Howardian i ymuno â'r côr cymysg. Cafwyd gwasanaeth hogyn o'r enw David Hamley i gyfeilio i'r côr o'dd hefyd yn ddisgybl yn Ysgol Howardian. Ro'dd o'n gyfeilydd penigamp a bu'n gwasanaethu'r côr ar hyd y blynyddoedd.

Ym Mai 1960 ro'dd y côr yn ddigon hyderus erbyn hynny, dan arweiniad medrus Owain Arwel Hughes ac yntau ond yn 17 mlwydd oed ar y pryd, i gynnal cyngerdd yn Neuadd y Reardon Smith a daeth llond y neuadd ynghyd i fwynhau'r arlwy. Yn ogystal â'r côr cymysg cafwyd eitemau gan aelodau'r Aelwyd a gwelwyd doniau cymaint o'r aelodau.

Yn ystod 1961 daeth Alun Guy i olynu Owain Arwel Hughes fel arweinydd Côr yr Aelwyd. Ro'dd o'n fyfyriwr ym Mhrifysgol Caerdydd ar y pryd, ac yn gyn-ddisgybl yn Ysgol Cathays. Dan ei arweiniad ysbrydoledig cynyddodd y côr i tua 150 o aelodau, ac un o uchafbwyntiau'r côr o'dd ennill prif gystadleuaeth gorawl yn Eisteddfod Abertawe gan nacáu'r hatric i Gymdeithas Gorawl Rhydaman! Enillodd y côr hefyd yn Eisteddfod Genedlaethol Llandudno ym 1963.

Daeth llawer o lwyddiant i'r côr yn eisteddfodau'r Urdd a'r Genedlaethol a threfnodd Alun ddwy daith i'r côr i'r Almaen. Cynhaliwyd nifer o gyngherddau clasurol yn Neuadd y Cory a'r Theatr Newydd a chanodd y côr yn Neuadd Albert mewn cyngerdd yno. Gwnaethpwyd record i gofnodi llwyddiant y côr arbennig hwn.

Yn ystod haf 1964 enillodd Côr Aelwyd Caerdydd y ddwy brif gystadleuaeth gorawl yn Eisteddfod Abertawe ac felly cafwyd cryn dipyn o sylw yn y wasg. Yna, yn Rhagfyr y flwyddyn

Côr Aelwyd yr Urdd Caerdydd yn ennill yn Eisteddfod Llandudno – 1963

honno derbyniodd Alun, ein harweinydd, wahoddiad gan y British Travel Association i fynd â'r côr i ganu yng Ngŵyl Flodau San Remo yn yr Eidal, a fyddai'n digwydd ym mis Ionawr 1965 a'r cwmni'n talu'r holl gostau! Ond ro'dd un broblem sef mai dim ond 30 o'r côr fyddai'n gallu manteisio ar y cynnig. Achosodd hyn gryn dipyn o boen meddwl i Alun druan! Ond derbyniwyd y cynnig a dewisodd y 30 lwcus! Ro'dd disgwyl i'r côr wisgo gwisg draddodiadol ac felly llogwyd dillad pwrpasol i'r merched gan gwmni yn Abertawe. Cynhaliwyd ymarferion arbennig, ac yna daeth yn amser i ni ddechrau'r daith i San Remo a phawb wedi weindio'n lân. Hedfanom o faes awyr Bryste i faes awyr Genoa, a bws oddi yno i westy crand yn San Remo efo grisiau marmor! Diwrnod yr hedfaniad ro'dd hi'n dywydd hynod o heulog a'r awyr yn glir heb sgafell o gwmwl i'w weld yn unman, ac felly hedfanom uwchben yr Alpau a chafwyd golygfeydd hyfryd o'r tir oddi tanom drwy ffenestri'r awyren. Hedfanom ar y dydd Iau felly ar y dydd Gwener cafwyd

Rhai o aelodau o Gôr Aelwyd Caerdydd cyn mynd i ganu yng Ngŵyl Flodau San Remo – 1965

amser i ymarfer cyn perfformio mewn cyngerdd yn y Casino a ddangoswyd ar deledu'r Eidal. Yna, ar y nos Sadwrn, 'nôl i'r Casino i ganu mewn cyngerdd arall.

Wedyn, uchafbwynt yr Ŵyl o'dd cymryd rhan mewn gorymdaith liwgar drwy strydoedd y dre ar y Sul cyn hedfan adre ar y dydd Llun. Cododd problem fach gan fod trefnydd yr ŵyl yn meddwl mai Saeson o'n ni, ac ro'dd disgwyl i ni gario baner Jac yr Undeb yn yr orymdaith! Cafodd wybod yn gyflym iawn mai Cymry o'n ni ac nid Saeson, ac y byddem ni yn cario baner y Ddraig Goch o'n blaenau yn yr orymdaith! Dewisom ni Martyn Williams i gario'r faner a chafwyd amser anhygoel yn gorymdeithio drwy'r dre.

Oherwydd poblogrwydd yr Aelwyd, aeth Tŷ'r Cymry'n rhy fach, ac felly yn ystod yr haf aethpwyd ati i chwilio am le mwy. Gwelodd Gill Davies, o'dd yn aelod o'r pwyllgor, hysbysiad ym mhapur newydd yr *Echo* yn dweud bod 'stafell/neuadd ar rent am gini'r noson yn 51 Heol Siarl, ynghanol y ddinas gan Ysgol Balé Joyce Marriot! Felly ym mis Medi 1959 cynhaliwyd digwyddiad agoriadol yn y lle newydd efo deg a thrigain o bobl ifanc yn bresennol.

Yn ystod 1960 am wahanol resymau penderfynodd pwyllgor yr Aelwyd newid noson y cyfarfodydd o nos Sadwrn i nos Wener, ond ro'dd hynny'n golygu y byddai angen chwilio am le arall i gynnal y gweithgareddau gan na fyddai neuadd Joyce Marriot ar gael ar y nos Wener. Llwyddwyd i rentu neuadd Capel yr Undodiaid yn West Grove, a bu'n gartre i'r Aelwyd nes symud i ganolfan newydd yr Urdd ym Mhontcanna ym 1967.

Cynhaliwyd yr Aelwyd am y tro cyntaf ar y nos Wener yn West Grove ddiwedd Tachwedd 1961 a threfnwyd grwpiau megis dosbarth Cymraeg ar gyfer dysgwyr yr Aelwyd, grŵp drama a grŵp ar gyfer y Cymry Cymraeg, a hynny o saith i wyth o'r gloch. Yna cafwyd ymarfer côr cymysg rhwng 8 a 9 y nos ac egwyl wedyn i gael paned a chlonc, cyn cynnal sesiynau o ddawnsio gwerin a modern. Denwyd llawer o ieuenctid i'r Aelwyd a chynyddodd yr aelodaeth yn sylweddol. Trefnwyd heiciau i lefydd fel Penderyn a thaith i Eisteddfod Llangollen, yn ogystal â chystadlu yn eisteddfodau'r Urdd. Ffurfiwyd tîm pêl-droed pump bob ochr a thîm rygbi i chwarae yng nghystadleuaeth yr Urdd a thîm siarad cyhoeddus. Rhwng pawb a phopeth ro'dd bwrlwm i'w gael, a phawb wrth eu boddau'n cymdeithasu.

Yn ystod y cyfnod yn West Grove trafodwyd y posibilrwydd o brynu adeilad addas i wasanaethu fel canolfan i'r Urdd yng Nghaerdydd a daeth goleuni yn y man gan ŵr o'r enw Don Richards, un o Gymry Lerpwl o'dd yn Swyddog Ieuenctid Pwyllgor Addysg y Ddinas. Tynnodd Don Richards sylw Owen Edwards, mab hynaf Syr Ifan ab Owen Edwards fod adeilad yn perthyn i Gapel y Methodistiaid ar waelod Heol Conwy yn ardal Pontcanna yn debygol o fynd ar werth yn fuan a hwyrach y byddai'n lle addas fel canolfan i'r Urdd yn y ddinas.

Ymgynghorodd Owen ag R. E. Griffith (R. E.), Cyfarwyddwr yr Urdd yn swyddfa Aberystwyth, a thrwy hynny dechreuodd

Tîm Rygbi Aelwyd yr Urdd Caerdydd

trafodaethau efo gweinidog a blaenoriaid y capel ynglŷn â phrynu'r lle. Cofiaf fynd efo R. E. un tro i gyfarfod â swyddogion y capel, ac edmygais y ffordd o'dd R. E. yn arwain y trafodaethau a minnau'n eistedd yno braidd fel colomen! Ro'dd o'n ŵr mor graff, ac yn y diwedd cytunwyd ar bris, ond bod yr Urdd yn talu am yr adeilad dros gyfnod o flwyddyn, ac yn ystod y flwyddyn byddai hawl gan y capel i ddal i ddefnyddio'r adeilad am ddim.

Rhoddodd yr Aelwyd fil o bunnoedd tuag at y gost o'r arian a gafwyd drwy ennill yn yr Eisteddfod Genedlaethol, a chafwyd grantiau, ac yn y diwedd ro'dd rhaid ffeindo £4,500 o goffrau'r Urdd i orffen y taliad. Sefydlwyd pwyllgor rheoli wedyn i weinyddu'r ganolfan dan arweiniad Owen Edwards, ac aethpwyd ati i wella'r adeilad gan osod llawr ychwanegol yn y lle. Felly'n ystod haf 1967 daeth cysylltiad yr Aelwyd â Chapel yr Undodiaid i ben a dechreuodd pennod newydd yn hanes yr Aelwyd yn y ganolfan newydd ym Mhontcanna. Ro'dd llawer mwy o le yn y ganolfan a phawb wrth eu boddau gyda'r sefyllfa.

Un tro daeth Martyn Williams ataf gan ddweud ei fod am sefydlu tîm rygbi yn enw'r Aelwyd. Ro'dd o'n dal yn ddisgybl yn Ysgol Cathays ar y pryd cyn mynd i Goleg yr Iwerydd yn Sain Dunwyd. Cefnogais ei gais ac o fewn dim ro'dd o wedi hel tîm ynghyd a threfnu nifer o gemau ar gyfer y tîm newydd! Flynyddoedd wedyn esblygodd tîm yr Aelwyd i fod yn Glwb Rygbi Cymry Caerdydd.

Dro arall, sefydlwyd parti dawnsio gwerin dan arweiniad Chris a Rhodri Jones, a esblygodd yn ddiweddarach i fod yn Grŵp Dawnsio Gwerin Caerdydd, a'r grŵp hwn aeth ati i drefnu dathlu Gŵyl Ifan yn y ddinas o flwyddyn i flwyddyn. Newidiodd nosweithiau cyfarfod y côr i nos Fercher a nos Sul, ond daliwyd i gyfarfod bob nos Wener ar gyfer gwahanol weithgareddau.

Un nos Fercher daeth gŵr ifanc i siarad â mi o'r enw Charles Cravos ac ro'dd o'n awyddus dros ben i ddysgu Cymraeg.

Cytunais i roi gwersi Cymraeg iddo am awr bob nos Fercher cyn ymarfer y côr, ac ymunodd dau arall ag o, sef Roger Thomas a Ray Kane. Ar ddiwedd y flwyddyn ro'dd yn awyddus i barhau i ddysgu ac felly dyma fi'n gofyn i athro arall barhau gyda'r tri hyn a minnau wedyn yn sefydlu dosbarth arall. O dipyn i beth aeth y si ar led am lwyddiant y dysgu a daeth mwy a mwy o oedolion i ymuno â'r dosbarthiadau dan arweiniad nifer o athrawon ifanc a brwd o'dd yn rhoi o'u hamser yn wirfoddol. Codwyd ychydig o dâl ar y dysgwyr ac ro'dd hi'n bosibl rhoi mil o bunnoedd bob blwyddyn i'r pwyllgor rheoli tuag at gostau cynnal a chadw'r adeilad.

Yn ystod y cyfnod hwn gwelais lythyr yn *Y Cymro* gan Iddew Cymraeg o'dd yn byw yng Nghaersalem yn Israel ond yn hanu o Hwlffordd. Yn y llythyr ro'dd o'n dilorni ymgais y Cymry i gyflwyno'r iaith mewn un wers wythnosol o'dd yn gwbl annigonol i gael llawer o lwyddiant. Felly, ym mis Medi y flwyddyn honno cynigiwyd dosbarthiadau ddwywaith yr wythnos, yn lle'r un arferol. Ro'dd cynnydd y dysgwyr o ganlyniad yn llawer cyflymach.

Bu'r Aelwyd eto'n fodd i Gymry ifanc Caerdydd gael cymdeithasu yn eu hiaith eu hunain, i ddysgu llawer o sgiliau gwerthfawr ar gyfer bywyd yn nes ymlaen, ond yn bennaf i fwynhau bod yng nghwmni ffrindiau. Ro'dd hi'n gymdeithas ynddi ei hun, ac yn fodd o annog a chefnogi ein gilydd i hybu'r Gymraeg ymhellach yn y ddinas.

13
Cynllun Wlpan

Un noson canodd y ffôn tua naw o'r gloch ac Ethni Daniel o'dd ar y pen arall yn gofyn i mi ddod draw i'w thŷ'r funud honno. Ro'dd Chris Rees, athro Cymraeg brwd, a Nia, chwaer Ethni, yn trafod y syniad o sefydlu cwrs dwys i ddysgu Cymraeg wedi iddyn nhw gael eu hysbrydoli ar ôl clywed anerchiad gan wraig o'r enw Mrs Shoshan Eytan, o Israel. Traethodd am y dull a fabwysiadwyd yno i gymhathu'r miloedd o Iddewon a fewnfudodd i Israel ar ôl sefydlu'r Wladwriaeth Iddewig ym 1948. Ro'dd hi'n un o'r athrawon cyntaf ar y cyrsiau a sefydlwyd i ddysgu Hebraeg i'r bobl hyn, gan mai Hebraeg o'dd iaith swyddogol y wladwriaeth newydd. Adferwyd yr iaith Hebraeg gan ŵr o'r enw Eliezer Ben-Yehuda o'dd yn dipyn o fand un dyn ar y dechrau, ond oherwydd ei benderfyniad cadarn a'i frwdfrydedd heintus enillodd y dydd, a daeth yr iaith yn fyw unwaith eto.

Yr enw a roddwyd ar y cyrsiau dwys hyn o'dd Wlpan, ac ar ôl y cyfarfod yn nhŷ y chwiorydd Daniel, penderfynwyd sefydlu Wlpan yng Nghanolfan yr Urdd yn Heol Conwy ym Mhontcanna. Cyfarfu ynghyd nifer o athrawon Cymraeg brwd yn y ddinas a gofynnwyd am eu cymorth i ddysgu ar y cwrs arbrofol hwn ar rota. Llwyddwyd i ddenu dwsin o ddysgwyr y ganolfan i ymuno â'r cwrs fyddai'n para am dri mis, gan ddechrau ym mis Hydref 1973. Byddai gofyn i'r dysgwyr ddod i sesiynau am bum noson o'r wythnos. Paratowyd sgerbwd o gwrs gan Chris Rees ac yna ro'dd yr athrawon yn seilio eu sesiynau ar y sgerbwd hwn! Y farn ar ddiwedd yr arbrawf o'dd ei fod wedi bod yn llwyddiannus, a chafodd Chris Rees waith ym Mhrifysgol Caerdydd i ddatblygu'r dull hwn o gyflwyno'r iaith i bobl Cymru. Erbyn hyn mae'r dull hwn wedi ymledu ledled Cymru diolch i ymdrechion pobl fel Chris Rees.

Yn ystod ei waith arloesol yn y brifysgol ces i wahoddiad gan Chris Rees i ymuno ag o i fynd i'r Asiantaeth Iddewig yn Oxford Street yn Llundain i gyfarfod â Mrs Shoshan Eytan o'dd ar ymweliad â Llundain, i'w holi'n fanwl am y dulliau dwys yn yr Wlpanim yn Israel. Pan gyrhaeddom yr adeilad a mynd i'r fynedfa, ro'dd y 'stafell yn foel efo drych hir ar draws un wal. Yn sydyn agorodd drws yn y 'stafell a daeth dyn atom i holi ein busnes. Dyma ni'n esbonio pam ein bod ni yno, a chawsom ein tywys drwy'r drws, a gweld dyn ar ben stôl yn wynebu'r drych dwy ffordd er mwyn cadw gwyliadwriaeth ar bwy o'dd yn ymweld â'r lle! Yna, ro'dd rhaid dringo grisiau i swyddfa Mrs Eytan, ond ro'dd drws hanner ffordd i fyny'r grisiau ac ro'dd rhaid aros nes i rywun agor hwnnw i ni. Ro'dd yr holl ymweliad yn swreal! Cawsom sgwrs hir a diddorol efo Mrs Eytan, ond yn y diwedd daethom i'r casgliad ein bod ni i gyd yn defnyddio'r un dulliau, sef sialc a siarad, ac mai brwdfrydedd y tiwtoriaid o'dd yn ysbrydoli'r dysgwyr!

Ymhlith y dwsin ar yr Wlpan cyntaf ro'dd merch o'r enw Christine Madden a ddaeth yn Christine Jones maes o law, a magodd dri mab yn Gymry Cymraeg, yn ogystal â gweithio i'r Mudiad Meithrin a dysgu Cymraeg i eraill fel tiwtor Cymraeg. Un arall ar y cwrs o'dd John Llewelyn Couch o'dd yn athro yng Nghaerdydd ar y pryd. Symudodd o a'i wraig i fyw i Lanwrtyd a buon nhw a gwraig o'r enw Susan Price yn ymgyrchu i sefydlu uned Gymraeg ar gyfer eu plant yn yr ysgol leol.

Dysgais ar 17 o Wlpanau yng Nghanolfan yr Urdd a dod i nabod llawer o bobl ddiddorol dros y blynyddoedd. Un a gofiaf o'dd ciwrad o'r enw Tony Crocket a ddaeth maes o law yn Esgob Bangor. Ar y pryd ro'dd o'n giwrad yn Eglwys yr Holl Saint yn Rhiwbeina, ac un noson gofynnodd i'w diwtor, 'Oes bywyd ar ôl Wlpan?' Un arall o'dd Americanwr galluog dros ben

Cwrs Wlpan cyntaf Cymru yng Nghanolfan yr Urdd, Caerdydd Medi–Rhagfyr 1973

o'r enw Craig Boron o'dd yn astroffisegydd, a meistrolodd o'r iaith yn gyflym iawn. Wedyn daeth Paul Turner ar un o'r cyrsiau ac yntau'n fab i berchennog cwmni adeiladu Turner yn y ddinas. Ro'dd ei fam yn dod o sir Benfro'n wreiddiol ac yn aelod yng Nghapel y Tabernacl yn yr Ais.

Un bore Sul, gwahoddodd nifer o'i diwtoriaid i ymuno ag o ar ei gatamarán i hwylio draw i Weston ac yn ôl. Sôn am antur! Methwyd â chyrraedd Weston gan fod y gwynt a cherrynt y môr yn ein herbyn ac felly anelwyd am Ynys Echni gan lanio yno o'r catamarán mewn dingi rwber. Ro'dd sŵn y gwylanod yn fyddarol ac ro'dd wyau ar lawr ymhob man. Ie, bore bythgofiadwy o'dd hwnnw ond o'n i'n falch o gyrraedd y tir sych unwaith eto!

Yn ystod y cyfnod hwn ffurfiwyd Cymdeithas y Dysgwyr efo Huw Powell fel ysgrifennydd, tad un o aelodau'r grŵp Catatonia, a dechreuwyd cynnal nifer o weithgareddau ar gyfer dysgwyr yr iaith a Chymry Cymraeg. Un syniad a gafwyd – gan

Merêd a'i wraig, Phyllis Kinney o'dd yn hanu o'r Unol Daleithiau – o'dd trefnu nosweithiau siarad yn nhai nifer o siaradwyr yr iaith yn y ddinas, a phob sesiwn i bara awr a hanner, a'r gwesteion i baratoi dim ond paned a bisgedi. Profodd y nosweithiau hyn yn boblogaidd iawn. Uchafbwynt yr holl weithgareddau o'dd sefydlu Eisteddfod y Dysgwyr yng Nghanolfan yr Urdd, a denwyd cystadleuwyr nid yn unig o Gaerdydd ond o'r Rhondda a Phen-y-bont ar Ogwr hefyd.

Dangoswyd brwdfrydedd a chefnogaeth dda i'r digwyddiad hwn. Mae gen i gof am wraig o'r enw Anita Davies o Gaerdydd, ond o'r Rhondda gynt, yn adrodd y darn am farwolaeth yr iaith Gymraeg o nofel Islwyn Ffowc Elis, *Wythnos yng Nghymru Fydd*. Ro'dd llais hynod o gyfoethog ganddi a daliodd sylw'r gynulleidfa'n llwyr gyda'i pherfformiad teimladwy. Syniad arall a ddaeth gan Ken Kane, o Abertawe gynt, o'dd sefydlu cylchgrawn o'r enw *Yr Agoriad* i'r dysgwyr, ond yn anffodus, byrhoedlog fu'r cylchgrawn hwnnw. Ken a gynlluniodd logo Ysgol Glantaf – ysgol ei ferch, Haf – a hefyd logo Canolfan Hamdden Abertawe.

Bu'n fraint i mi gael ymwneud â phob un o'r cyrsiau a'r dysgwyr hyn, a braf gweld eu cynnydd a'u cyfraniad drwy gyfrwng y Gymraeg yn cryfhau o hyd.

14
Rhannu Profiadau

Unwaith, cafodd Dan Lynn James, yr athro Cymraeg deinamig, o'dd yn dysgu yng Ngholeg Cyncoed ar y pryd, a minnau wahoddiad gan Awdurdod Addysg Caerdydd i gynrychioli Caerdydd a Chymru mewn cynhadledd dysgu'r ieithoedd Celtaidd yng Ngholeg Drumcondra yn Nulyn ym mis Gorffennaf 1965. Cafwyd amser hynod o ddifyr a buom yn gwrando ar ddarlithoedd bob dydd, a'r un a'm denodd i fwyaf wrth gwrs o'dd darlith am adfer yr Hebraeg yn Israel. Un pnawn pan gawsom amser rhydd aeth Dan a minnau am dro i Stryd O'Connell i weld Swyddfa'r Post a fu ynghanol y brwydro adeg Gwrthryfel y Pasg, a hefyd i ddringo i ben tŵr ar ganol y stryd gan weld golygfeydd hyfryd i bob cyfeiriad o ben y tŵr. Flynyddoedd wedyn chwalwyd y tŵr bron yn chwilfriw gan fom yr IRA. Yna, wrth gerdded ar hyd y stryd, dyma ddau heddwas yn ein hysio oddi ar y pafin i'r stryd wrth i ni agosáu at westy, ac er mawr syndod i ni pwy gamodd allan o'r gwesty i gar o flaen y lle ond Grace Kelly, yr actores enwog, a hithau mewn tiara a gwisg wen laes, ac yn ei dilyn o'dd ei gŵr, y Tywysog Raynier o'dd yn stwcyn braidd yn ddisylw. Ro'dd Grace Kelly yn edrych yn hardd dros ben, a dim ond trwch gwydr car o'dd rhyngom ni a hi! Anhygoel!

Yn ystod y gynhadledd des i nabod dwy chwaer o'r Alban o'dd yn athrawon Gaeleg ac yn dod o le bach o'r enw Kyle of Lochalsh ar lan y môr yng ngorllewin y wlad. Ni feddyliais erioed y byddwn yn cyfarfod â nhw byth wedyn. A minnau newydd ddychwelyd o Gynhadledd Dysgu'r Ieithoedd Celtaidd yn Nulyn ym mis Gorffennaf ro'dd rhaid i mi baratoi wedyn i fynd ar daith haf yr Urdd i Ynys Skye ym mis Awst. Arweinydd y daith o'dd Dr Iolo Wyn Williams, mab hynaf y Prifardd W. D. Williams, y Bermo. Ro'dd naw ohonom ar y daith – wyth hogyn a dim ond un ferch sef Gwen Humphries o Gaerdydd! Ymgasglodd y criw yng Ngwersyll yr Urdd yng Nglan-llyn yn barod i deithio mewn bws mini i'r Alban. Benthyciwyd clamp o babell o Lan-llyn i'r bechgyn gysgu ac ro'dd Gwen yn cael cysgu'n y bws mini! Cyn gadael Glan-llyn dyma fi'n holi Iolo o ble y byddem yn croesi i Ynys Skye – a dywedodd ein bod yn croesi o le bach o'r enw Kyle of Lochalsh! Ro'n i'n methu credu fy nghlustiau gan mai yno ro'dd y ddwy chwaer a gyfarfyddais yn y gynhadledd yn Nulyn y mis blaenorol yn byw! Ro'dd teulu'r ddwy chwaer yn cadw caffi a gorsaf betrol yno ac oddi yno ro'dd y fferi'n croesi i'r ynys. Nid o'dd pont wedi'i chodi bryd hynny i gysylltu'r ynys â'r tir mawr. Ar y daith i'r Alban, penderfynwyd aros dros nos mewn gwersyllfan ar gyrion Caerliwelydd a chost un babell o'dd £5 y noson, ond o'dd gwraig y wersyllfan yn siomedig pan welodd mai dim ond un babell o'dd gennym er bod naw ohonom yn y criw!

Taith haf yr Urdd i Ynys Skye – 1965

Cyrhaeddon ni'r Kyle of Lochalsh yn hwyr yn y pnawn ac es i sbecian drwy ffenestr y caffi yno a gwelais y ddwy chwaer yn golchi llestri yn y gegin, a hwythau gartre o ddysgu gan ei bod yn gyfnod gwyliau! Agorais ddrws y caffi ac i mewn â mi i gyfarch y ddwy! Cafwyd croeso cynnes a threfnwyd ein bod yn dal fferi olaf y dydd draw i'r Ynys, a'n bod ni i alw'n ôl yn y caffi am frecwast wrth i ni gychwyn ar ein taith yn ôl i Gymru. Gwersyllom yn y wlad ar ochr nant, a'r unig adeilad arall yn y golwg o'dd gwesty bach ar gyfer pobl o'dd yn dod i'r ardal i bysgota. Bu Gwen yn ddigon hy i ymweld â'r gwesty o dro i dro i molchi, a neb yn cymryd unrhyw sylw ohoni, tra o'n ni'r bechgyn yn gorfod molchi yn y nant!

Ymwelom â phrif bentre'r ynys sef, Portree, a buom yn lwcus i glywed côr o wragedd yn canu mewn Gaeleg mewn gwesty. Ro'n nhw newydd ennill yn y Mod, â'u lleisiau'n fendigedig. Dro arall ymwelom â threialon cŵn defaid mewn lle o'r enw Dunraven, a phwy a welsom yno ond y Fonesig Flora MacLeod, pennaeth llwyth y MacLeods!

Ar y Sul penderfynom y byddai'n syniad da mynychu gwasanaeth Gaeleg yn yr ardal. Pan gyrhaeddom yr eglwys dywedodd dyn wrthym: 'English Service down the road!' Ond dyma egluro wrtho mai Cymry o'n ni a'n bod ni am aros i ymuno â'r gwasanaeth Gaeleg! Bu hwnnw'n brofiad gwahanol a dieithr braidd – ro'dd sŵn dwyreiniol bron ar y canu gan fod 'na godwr canu'n arwain yr emynau fesul llinell, a'r gynulleidfa yn ailganu pob un! Yn ystod y weddi, ro'dd rhaid i ni sefyll am amser hir, ac erbyn y bregeth ro'dd y criw yn dechrau pendwmpian. Ceisiais fy ngorau glas i wrando ac yn aml o'n i'n clywed y gair *agus*, ac ymhen hir a hwyr dyfalais mai'r ystyr o'dd 'a'!

Yn ystod yr wythnos aethom i gerdded bryniau'r Cuchullins ar yr ynys lle cafwyd digwyddiad digon dramatig wrth droedio'r llwybr. Baglodd un o'r criw yn sydyn a syrthiodd lawr ochr eitha serth nes iddo lanio ar wastad ei gefn mewn nant. Sôn am fraw! Aeth fy meddwl yn drên wrth ei weld yn gorwedd yn llonydd oddi tanom, a gwelais hofrennydd yn dod i'w achub yn fy nychymyg a phenawdau yn y wasg! Ond wrth lwc nid o'dd wedi torri asgwrn a llwyddwyd i'w hanner lusgo 'nôl i'n gwersyllfan. Ro'dd o'n gleisiau ac yn gwynegu, a bu felly am weddill ein hamser ar yr ynys, gan orfod gorffwys ar y gwely aer wrth i'r gweddill ohonom barhau i grwydro o gwmpas yr ynys!

Dyma brofiad arall o gyfarfod pobl ddiddorol a gweld yr angerdd sydd dros ieithoedd lleiafrifol eraill, a dod i ddeall bod sawl un yn gweithio dros ei iaith a'i gynefin ei hun. Bu teithiau fel hyn yn fodd o wneud cysylltiadau a chyfeillion oes.

15
Gwahanol Fudiadau

’Nôl ym mhumdegau’r ganrif ddiwethaf ymddangosodd cylchgrawn *Y Gaer* yng Nghaerdydd dan olygyddiaeth gŵr o’r enw Carey Roberts o’dd yn hanu o’r gogledd. Mewn ffordd, dyma ragflaenydd *Y Dinesydd*, papur bro hynaf Cymru. Pan o’n i’n y fyddin byddai Mam yn anfon copi o’r *Gaer* ataf bob mis, ac ro’n i wrth fy modd yn ei ddarllen er mwyn cadw mewn cysylltiad â’r bywyd Cymraeg yng Nghaerdydd. Ond daeth *Y Gaer* i ben pan fu farw Carey Roberts. (Mae’r rhifynnau a dderbyniais wedi eu rhoi yng ngofal Llyfrgell Prifysgol Caerdydd erbyn hyn.)

Fel y soniais, yn dilyn diwedd cylchgrawn *Y Gaer* – sefydlwyd *Y Dinesydd* ym 1972 dan arweiniad Dr Merêd Evans gyda Norman Williams yn olygydd cyntaf y papur. Ond ni ddaeth y papur hwn i ben gan fod pwyllgor wedi ei sefydlu i sicrhau parhad iddo, a chafwyd pobl megis Robin Jones, Shân Emlyn, Cen Williams ac eraill yn gefn iddo am flynyddoedd. Des i’n aelod o’r pwyllgor flynyddoedd lawer ar ôl sefydlu’r papur a dod yn gadeirydd y pwyllgor maes o law, gan olynu pobl fel Dr Wyn James a Peter Gillard. Fe’m dilynwyd gan Bryan James a bu’n gadeirydd

Cartŵn ohonaf gan Cen Williams a ymddangosodd ym mhapur bro Y Dinesydd

hynod effeithiol. Dywedir bod dros 40,000 o siaradwyr yr iaith yn byw yng Nghaerdydd a'r Fro, ond yn anffodus carfan fechan o'r ffigwr hwn sy'n darllen *Y Dinesydd* o fis i fis. Ond rhaid diolch i'r 500 ffyddlon sy'n derbyn y papur yn gyson. Yn ystod cyfnod anodd Covid-19, llwyddwyd i gynhyrchu copïau o'r *Dinesydd* ar-lein, yn ogystal â chopïau caled, diolch yn bennaf i ymdrechion y cadeirydd ac aelodau eraill o'r pwyllgor. Ehangwyd cylchrediad y papur yn rhyfedd iawn drwy ei roi ar-lein, ac mae hynny'n golygu bod pobl ledled y wlad yn gallu ei ddarllen gydag ambell un o wahanol rannau o Gymru yn ennill y croesair!

Ym 1962 traddododd Saunders Lewis ei ddarlith radio 'Tynged yr Iaith'. Creodd ei ddarlith lawer o gyffro ymhlith Cymry Cymraeg brwd dros yr iaith, gan arwain at sefydlu Cymdeithas yr Iaith i ddwysáu'r ymdrechion i achub y Gymraeg. Ymunodd cannoedd o bobl ifanc a phobl hŷn â'r Gymdeithas a minnau yn eu plith! Dechreuais fynd i rai o brotestiadau'r iaith er bod fy rhieni yn poeni amdanaf rhag ofn i mi lanio o flaen fy ngwell neu yn y carchar! Yn ystod un brotest yn Abertawe o'dd yn hawlio arwyddion dwyieithog, ymgasglodd ugeiniau o bobl ifanc o flaen Neuadd y Brangwyn a dechrau lluchio arwyddion Saesneg eu hiaith ar risiau'r adeilad dan drwyn yr heddlu; yna eistedd ar ganol y ffordd nes i'r heddlu ddechrau llusgo'r bobl ifanc, a hynny'n ddigon chwyrn ar brydiau, o'r ffordd. Ro'dd dwy wraig ganol oed yn eistedd ymhlith y bobl ifanc, sef Bethan Roberts a Heulwen Jones, ond pan ddaeth eu tro nhw i gael eu llusgo oddi yno dyma'r heddwas yn dweud wrthyn nhw, 'Sorry Loves! You're not in the right age range,' a'u gadael nhw yno! Hynny ydy, ro'dd yr heddlu am ddangos mai pobl ifanc ac nid pobl hŷn o'dd yn gyfrifol am y brotest.

Dro arall, cymerais ran mewn protest yng nghwmni Chris Rees, gan sefyll ar risiau Neuadd y Cyngor Sir yng Nghaerfyrddin.

Pan o'n i'n sefyll yno ynghanol criw mawr o brotestwyr rhuthrodd Cen Llwyd, Talgarreg i'r blaen a dechrau hoelio datganiad ar ddrws yr adeilad. Dyma droi at Chris a dweud fod hyn fel gweithred Martin Luther yn hoelio'i ddatganiad ar ddrws eglwys gadeiriol yn yr Almaen. Ro'dd gohebydd ifanc yn clustfeinio ar ein sgwrs a dyma fo'n ein holi os mai Martin Luther o'dd enw'r protestiwr o'dd wedi hoelio'r datganiad ar ddrws y cyngor! Fe'm hatgoffwyd o hanes a glywais pan agorwyd Gwasg John Penri gan yr Annibynwyr yn Abertawe, gyda Gwynfor Evans yn annerch yn y seremoni a gohebydd papur lleol yn gofyn iddo a fyddai'n bosibl iddo roi cyfweliad i John Penri!

Yn ystod y cyfnod hwn hefyd sefydlwyd mudiad Adfer. Dyma fudiad o'dd yn cymell siaradwyr Cymraeg mewn ardaloedd Seisnig i ddychwelyd i fyw yn y gorllewin er mwyn cryfhau'r iaith yn yr ardaloedd o'dd yn dal yn ffyddlon i'r iaith, gan adael yr ardaloedd mwyaf Seisnig i'w tynged. Nid o'n i'n hapus ynglŷn â syniad Adfer a minnau fel miloedd o bobl eraill yn byw yn yr ardaloedd hyn, a phe bai llawer yn symud i'r ardaloedd Cymreig pa waith fyddai ar gael iddyn nhw? Hoffais farn Dr Jac L. Williams ar y pwnc – ro'dd o'n gweld cilio i'r gorllewin yn wendid, a bod angen ymgyrchu dros yr iaith ymhob rhan o Gymru. Cefais fy atgoffa o eiriau Dr Jac L. pan ymwelais ag Ysgol Gymraeg y Ffin o'dd yn llythrennol dan gysgod yr M4 a arweiniai at Bont Hafren ble gallech weld y ceir yn gwibio ar hyd y ffordd o iard yr ysgol. Dyma beth o'dd amddiffyn ffin Cymru!

'Nôl yn saithdegau'r ganrif ddiwethaf daeth ffrind i mi o'r enw Merfyn Williams, o Benrhyndeudraeth gynt, yn ddirprwy ac yna'n bennaeth ar Ganolfan Parc Cenedlaethol Eryri ger Maentwrog ym Mhlas Tan-y-bwlch, cyn gartre teulu'r Oakleys a pherchnogion chwarel lechi'r Oakley ym Mlaenau Ffestiniog. Bu Shirley, gwraig Merfyn o ardal Llanidloes gynt, yn diwtor

Cymraeg yng Ngholeg Harlech a dysgodd nifer o bobl ifanc y Wladfa o'dd wedi derbyn ysgoloriaethau i astudio yn y coleg am flwyddyn. Un diwrnod dyma fy ffonio i holi a hoffwn fod yn diwtor Cymraeg ar gwrs cerdded y mynyddoedd i ddysgwyr yr iaith yn y ganolfan. Ro'n i wrth fy modd efo'r cynnig a derbyniais y gwahoddiad yn llawen.

Cynhaliwyd y cwrs yn flynyddol yn ystod cyfnod Merfyn yn ei swydd yn y ganolfan a bu'n llwyddiannus iawn. Ro'dd gwybodaeth Merfyn am natur a thirwedd Eryri yn helaeth, a phleser o'dd gwrando ar ei sgyrsiau ar y cyrsiau hyn. Ymddiddorai hefyd yn yr hen weithfeydd sy'n britho Eryri. Cofiaf ymweld â hen waith aur uwchben Dolgellau un tro, a thro arall dyma gerdded ar hyd y Rhinogydd uwchben Harlech a chael golygfa anhygoel o'r cylch cerrig Neolithig a elwir yn Bryn Cader Faner wrth ddisgyn i lawr i gyfeiriad Llandecwyn.

Cwrs cerdded y mynyddoedd i ddysgwyr. Plas Tan-y-bwlch

Cylch cerrig Neolithig, Bryn Cader Faner uwchben Harlech

Pinacl un daith o'dd cyrraedd ffermdy Oerddwr uwchben Beddgelert ar ôl bod yn cerdded ar ben Moel Hebog. Bu teulu T. H. Parry-

Merfyn Williams a minnau gyda chriw o ddysgwyr o Blas Tan-y-bwlch o flaen Oerddwr ger Beddgelert – 1965

Williams yn byw yn Oerddwr am amser hir, ac mae gan y bardd a'r ysgolhaig hwn gerdd am y lle yn ei gyfrol, *Detholiad o Gerddi*. Bu'n aros yno nifer o weithiau, a phan fu yno ym 1917 cerfiodd lythrennau ei enw ar ffrâm drws y beudy. Fe'i ganwyd ym 1887, felly ro'dd o'n 30 oed pan gyflawnodd hyn! Wedi i ni gyrraedd

Criw Plas Tan-y-bwlch yn gorffwys ar un o'u teithiau

Merfyn Williams, Pennaeth Plas Tan-y-bwlch ar lwybr y Rhufeiniaid ym Mwlch Ardudwy

yno ro'dd y tŷ'n wag ac wrth edrych o gwmpas y clos dyma un o'r dysgwyr yn tynnu ein sylw at y cerfiadau. Dangoswyd darn o'r ffrâm ddrws efo'i lythrennau arno ar raglen *Cynefin* ar S4C beth amser yn ôl. Tybed a roddwyd y crair i ofal Tŷ'r Ysgol, hen gartre T. H. yn Rhyd-ddu? Am flynyddoedd bu teulu Oerddwr yn peintio enw'r lle mewn gwyngalch ar graig uwchben y tŷ ac ro'dd yr enw i'w weld yn glir wrth deithio ar y ffordd fawr rhwng Beddgelert a phont Aberglaslyn.

Yn ystod saithdegau'r ganrif ddiwethaf aethpwyd ati i foderneiddio canol Caerdydd ac o ganlyniad bu'n rhaid i Gapel yr Annibynwyr, Ebeneser, a Chapel y Wesleaid, Bethel, adleoli. Ar ôl crwydro tipyn penderfynodd Ebeneser gynnal eu hoedfaon boreol yn y neuadd gymdeithasol yn yr Eglwys Newydd a'r oedfaon hwyrol mewn capel Saesneg yn yr Eglwys Newydd. Crwydrodd Bethel hefyd cyn cael gwahoddiad gan Gapel y Wesleaid yn Rhiwbeina i ymuno â nhw gan fod yr achos mor wan efo dim ond tua dwsin o ffyddloniaid ar ôl. Felly ym 1982, am y tro cyntaf er 1898, cafwyd capel Cymraeg yn Rhiwbeina ar ôl i Gapel yr Annibynwyr Beulah yn y pentre droi'n gapel Saesneg. Ro'n i a'm teulu'n aelodau yng Nghapel y Crwys ers blynyddoedd lawer, ond o'n i wastad wedi dymuno gweld capel Cymraeg yn lleol yn hytrach na gorfod gyrru'n gyson mewn car neu ddal y bws i addoli yn y Gymraeg. Yn nhri-degau'r ganrif ddiwethaf cynhaliodd W. J. Gruffudd ac Iorwerth Peate ddosbarth ysgol Sul mewn cwt yn y pentre lle'r o'dd tenantiaid Pentre'r Gerddi yn mynd i dalu'r rhent, a gelwir y cwt yn 'The Wendy Hut'. Yn yr un cwt y cynhaliwyd y cyfarfodydd i sefydlu Cylch Meithrin Cymraeg yn y pentre ym 1959. Hefyd, tra o'dd y Parchedig John King, o Lanyfferi gynt, yn weinidog ar Gapel y Bedyddwyr yn y pentre cynhaliwyd oedfa Gymraeg yn y capel cyn yr oedfa Saesneg ar gais un o'r aelodau, sef y wraig a adnabyddid fel Mrs Williams, Cricieth. Bues i'n canu'r organ yn yr oedfaon Cymraeg nes iddyn nhw ddod i ben ar ymadawiad y gweinidog.

Llewyrchodd Capel Bethel yn Rhiwbeina, a chafwyd gwasanaeth y Parchedig Evan Morgan o'dd hefyd yn weinidog ar Gapel Salem Treganna, ac ar ôl ychydig o flynyddoedd penderfynodd yr adran Saesneg yn Bethel ddod i ben oherwydd diffyg aelodau. Ysgrifennydd ac organydd Capel Bethel o'dd Gwyndaf Owen a gwasanaethodd y capel yn ffyddlon am flynyddoedd lawer. Yna, pan fu farw nid oedd gan y capel organydd. Gan na wnaeth unrhyw un gynnig bod yn organydd,

Aelodau Capel Bethel Rhiwbeina ar ymweliad â Bae Caerdydd – 2001

cytunais i ganu'r organ yn ei le, gan barhau i wneud hynny hyd heddiw!

Ar ôl blynyddoedd o ddysgu Cymraeg fel ail iaith i blant, pobl ifanc, ac oedolion teimlais fy mod wedi esgeuluso'r Cymry Cymraeg, ac felly ces y syniad o sefydlu Adran Bentre'r Urdd yn Rhiwbeina ar gyfer plant o'dd yn mynychu ysgolion Cymraeg yr ardal. Cafwyd cymorth i wireddu fy nymuniad gan bobl megis Gaenor Walter Jones, Eiryl Walters, Elinor Jones, Mair Owen, Meinwen Guy, Bob Roberts a'i fab Alun, Rhys Morgan ac eraill, a bu'r Adran yn hynod o lwyddiannus efo tua phump ar hugain o blant yn dod ynghyd bob wythnos i fwynhau gwahanol gemau, gweithgareddau a chwaraeon a heiciau yn yr haf. Ffurfiwyd côr i gystadlu yn Eisteddfod yr Urdd yng Nghastellnewydd Emlyn dan arweiniad disgybl hŷn yn Ysgol Glantaf, sef Huw Davies. Bu'r Adran yn weithredol o 1971 hyd 1988. Un haf aethom ar drip ar fws i Ynys y Barri a mynd i'r ffair yno. Cafodd y plant hwyl, ac o'dd mynd ar y ffigwr wyth yn dipyn o antur!

Plant Adran Bentre'r Urdd yn Rhiwbeina ar y Wenallt, tu ôl i Riwbeina – 1982

Yn ystod chwedegau a seithdegau'r ganrif ddiwethaf newidiodd y gymdeithas, yn arbennig ym myd pobl ifanc. Dechreuodd y to ifanc fynychu clybiau a thafarndai'r ddinas, a mentro i Tiger Bay, y Dowlais, Papageos, North Star ac ati. Nid o'dd paned o de ar ddiwedd cyfarfodydd Tŷ'r Cymry yn plesio llawer o'r aelodau mentrus bellach, a dechreuwyd mynd i dafarn ger carchar Caerdydd i barhau â'r cymdeithasu. Ond do'dd y landlord ddim yn hapus bod y Cymry'n canu yn ei dafarn, ac felly symudodd y Cymry i dafarn o'r enw'r Elai Newydd o'dd yn agosach fyth at Dŷ'r Cymry. Daeth y lle'n enwog ledled Cymru, yn arbennig adeg gemau rygbi rhyngwladol yn y ddinas, a soniodd y llenor Dafydd Huws am y dafarn yn ei lyfr, *Dyddiadur Dyn Dŵad*. Yna, pan symudodd Aelwyd yr Urdd o festri Capel yr Undodiaid yn West Grove i Ganolfan yr Urdd yn Heol Conwy ym Mhontcanna, dechreuwyd ymgynnull yn nhafarndai'r Conwy a'r Half Way ar ôl gweithgareddau yn y ganolfan.

Ro'dd bar Cymraeg yn y Conwy gydag yfwyr lleol yn fwy tebygol o gyfarfod yn y bar arall. Adeg yr Arwisgiad yng Nghaernarfon ym 1969 daeth llefydd fel y Conwy a'r Half Way i sylw'r heddlu cudd, a bu'r cyfnod hwn yn ddiflas iawn a phawb yn y bar Cymraeg yn amau unrhyw berson dieithr o'dd yn dod drwy'r drws. Cafwyd enghraifft o'r heddlu cudd ar waith pan gafwyd ffrwydrad yng Nghaerdydd. Y noson flaenorol bu merch i Ustus Heddwch yn y ddinas yn y bar Cymraeg ar ôl ymarfer y Côr Aelwyd, a bore trannoeth ymwelodd yr heddlu â hi yn yr ysgol lle'r o'dd hi'n dysgu, gan greu embaras mawr iddi hi a'i theulu! Ro'dd yn amlwg bod yr heddlu cudd yn casglu rhifau pob car o'dd yn parcio o gwmpas y Conwy a'r Half Way. Ddiwrnod yr Arwisgiad trefnodd llawer o ieuenctid Cymraeg y ddinas i fynd am dro i'r traeth neu i'r wlad i osgoi holl hŵ-ha'r diwrnod. Yn bersonol, es i i Glwb y Rec i chwarae tennis yn ystod y seremoni yng Nghastell Caernarfon! Cafodd yr Arwisgiad lawer o effaith ar Gymru, efo rhai o blaid ac eraill yn erbyn, ac yn hanes yr Urdd gwelwyd rhwyg a barodd am beth amser.

Yn ystod yr ehangu ar orwelion y Cymry ifanc, dechreuodd un grŵp drefnu nosweithiau poblogaidd iawn o ganu pop

Cymraeg mewn gwahanol leoliadau yn y ddinas. Arweiniwyd y trefnu gan bobl megis Owen John Thomas, a'i freuddwyd o'dd sefydlu clwb Cymraeg yn y ddinas. Ymhen hir a hwyr clywodd fod hen glwb y Lleng Brydeinig yn Stryd y Fuwch Goch (Womanby Street) ar gael ar les, ac ar ôl nifer o drafodaethau sefydlwyd Clwb Ifor Bach, a hynny 'nôl ym 1983. Daeth y Clwb yn boblogaidd iawn, yn arbennig ar benwythnosau, a bu grwpiau pop Cymreig o bob rhan o Gymru'n perfformio yno. Dechreuais fynychu'r Clwb a maes o law ces fy ethol ar y pwyllgor. Un noson cynhaliwyd pwyllgor yn y Clwb gydag Owen John yn cadeirio'r cyfarfod, ond yn ystod y cyfarfod mynegodd nad o'dd y pwyllgor wedi dangos digon o gefnogaeth iddo mewn digwyddiad yn y Clwb, ac ar hynny cododd o'i sedd a chydio yn ei gôt a'i fag a cherddodd allan o'r 'stafell gan adael pawb yn gegrwth, ac ni ddychwelodd byth. Dyma pawb yn troi ataf a gofyn i mi gadeirio gweddill y cyfarfod! Bues i'n gadeirydd dros dro am ychydig, ond yn ystod y cyfarfod hwnnw anghofiwyd gofyn am estyniad i oriau agor y Clwb a bu'n rhaid i ni gau'r bar am ddeg o'r gloch bob nos nes i ni wneud cais arall am drwydded hwyr!

Yna llwyddwyd i brynu'r adeilad a bu'r gŵr busnes Glyn Owen yn gymorth i'r Clwb am flynyddoedd. Erbyn hyn mae'r Clwb yn gweithredu'n ddwyieithog ac mewn gwirionedd mae adran Saesneg y Clwb yn cynnal yr adran Gymraeg, er bod y Clwb bellach wedi ennill enwogrwydd yn y byd canu pop Saesneg a Chymraeg. Hyd at ddechrau'r Clo Mawr oherwydd Covid-19 ro'dd y Clwb yn dal i ddenu'r ifanc o bob cwr o'r ddinas a thu hwnt, ac er na wireddwyd breuddwyd wreiddiol Owen John Thomos yn hollol, o leiaf mae'r Clwb yn dal i ddenu Cymry Cymraeg ifanc y ddinas i fwynhau cerddoriaeth Gymraeg.

Bu nifer o bobl yn 'sgrifennu ataf yn ystod fy nghyfnod yn dysgu yn y Wladfa ac yn eu plith, gwraig o'r enw Mair Dyfri o

Rydaman gynt, gan fy nghadw mewn cysylltiad â'r hyn o'dd yn digwydd yn Rhiwbeina a gweddill y wlad. Mewn un llythyr soniodd y byddai'n hoffi gweld Cymdeithas Gymraeg yn cael ei sefydlu yn Rhiwbeina er mwyn i Gymry Cymraeg yr ardal ddod i nabod ei gilydd yn well. Hoffais y syniad yn fawr. Ro'dd eisoes grŵp o wŷr Cymraeg eu hiaith yn cyfarfod yn yr ardal dan yr enw Cymry'r Wenallt. Felly, ar ôl treulio blwyddyn yn y Wladfa, dychwelais i Riwbeina ym mis Awst 1992 a phenderfynu cynnal cyfarfod yn Llyfrgell Rhiwbeina ym mis Medi i wyntyllu syniad Mair Dyfri i sefydlu Cymdeithas Gymraeg yn y pentref. Yn anffodus nid o'dd Mair Dyfri yn gallu dod i'r cyfarfod oherwydd salwch difrifol ar y pryd. Cyhoeddais y byddwn yn rhoi sgwrs am fy mlwyddyn gyntaf yn dysgu Cymraeg yn y Wladfa, ac yna ar ddiwedd y sgwrs yn cynnig ein bod yn sefydlu Cymdeithas Gymraeg yn y pentref. Daeth tua hanner cant ynghyd ar y noson ac erbyn diwedd y cyfarfod ro'dd y Gymdeithas wedi ei sefydlu! Cytunais i drefnu rhai cyfarfodydd, ond bod angen ethol swyddogion a phwyllgor ar gyfer y dyfodol gan fy mod yn dychwelyd i'r Wladfa am flwyddyn arall yr haf canlynol.

Erbyn hyn daw tua deugain o bobl ynghyd i'r cyfarfodydd misol a threfnir rhaglen ddiddorol gan y pwyllgor. Dethlir y Nadolig a Gŵyl Ddewi drwy giniawa, ac am flynyddoedd bu Falmai Griffiths, cadeirydd y Gymdeithas, yn trefnu teithiau haf ar gyfer yr aelodau i wahanol lefydd megis Llanberis, Llangollen, Cernyw, Efrog, Ynys Wyth ac ati, a phob Nadolig cyn dyfodiad Covid-19, cynhaliwyd gwasanaeth Carol a Channwyll yn y capel Cymraeg am un ar ddeg o'r gloch ar Noswyl Nadolig, â'r lle yn llawn.

Bu llawer o newidiadau yn y gymdeithas yn Rhiwbeina ac yng Nghaerdydd yn gyffredinol dros y blynyddoedd, a bu'n rhaid addasu a symud efo'r oes er mwyn cadw pethau'n addas ar gyfer gwahanol rannau o'r gymdeithas. Drwy ymdrech a

Ar y fferi o Ynys Wyth 'nôl i Portsmouth efo aelodau o Gymdeithas Gymraeg Rhiwbeina

Dathlu 25 mlynedd ers sefydlu Cymdeithas Gymraeg Rhiwbeina – 2017

dyfalbarhad llawer ohonom, sefydlwyd mudiadau a chymdeithasau sydd yn dal i fodoli ac yn dal i fod yn werthfawr ym mywydau pobl hyd heddiw, ac sy'n cyfrannu at dwf Cymreictod yng Nghaerdydd.

16
Anrhydeddau

Ym mis Gorffennaf 1980 daeth llythyr i'r tŷ gan y Brifysgol Agored yn cyhoeddi'r bwriad o gyflwyno Gradd er Anrhydedd i mi fel cydnabyddiaeth o'm gwaith dros y Gymraeg. Ar y dechrau ofnais mai llythyr tynnu coes o'dd hwn ac felly cysylltais â gŵr o'dd yn gweithio i'r Brifysgol Agored a ches wybod ei fod yn llythyr dilys! Ar ôl hir ystyried derbyniais yr anrhydedd, a chyn y seremoni yn Neuadd y Ddinas ym Mharc Cathays cefais wahoddiad i ginio gyda'r canghellor, yr Arglwydd Asa Briggs, a phobl eraill o'dd yn derbyn anrhydedd. Ro'dd hawl gennym i fynd â dau berson arall i'r cinio ac felly gwahoddais fy mrawd a'i wraig i ddod efo mi. Yna, yn y seremoni yn y pnawn cefais fy nghyflwyno gan y Dr Rowland Wynne, Dirprwy Gyfarwyddwr y Brifysgol Agored. Wedyn ar ddiwedd y seremoni aethom i gyd 'nôl i'r brifysgol i gael lluniaeth ysgafn. Gyda'r nos ro'dd Mair Owen, un o rieni Adran Bentre'r Urdd yn Rhiwbeina, wedi trefnu parti dathlu i mi yn y Neuadd Goffa yn Rhiwbeina a llanwyd y neuadd efo fy nheulu a'm ffrindiau, a chafwyd clo anhygoel i ddiwrnod bythgofiadwy yn fy hanes.

Fy mrawd Wynn a'i wraig Angela

Diwrnod Seremoni derbyn Gradd er Anrhydedd yng nghwmni Dr Roland Wynne, Dirprwy Gyfarwyddwr y Brifysgol Agored

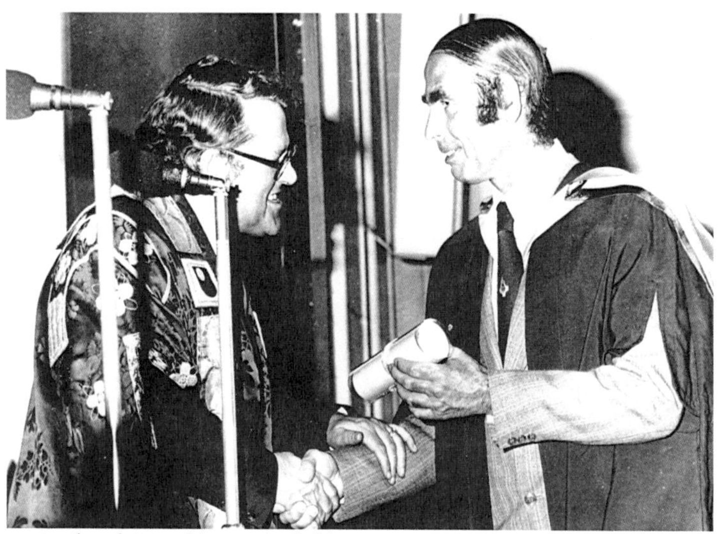

Derbyn fy Ngradd er Anrhydedd gan Asa Briggs, Canghellor y Brifysgol Agored yn Neuadd y Ddinas Caerdydd – 1980

Yna, ychydig wythnosau cyn cynnal yr Eisteddfod Genedlaethol ym Mhorthmadog ym 1987 canodd y ffôn a chlywais lais Emyr Jenkins, Prif Weithredwr yr Eisteddfod ar y pryd, yn cyhoeddi mai fi o'dd i dderbyn medal Goffa Syr T. H. Parry-Williams yn yr Eisteddfod yr haf hwnnw. Fe'm syfrdanwyd eto gyda'r newydd hwn. Diwrnod y seremoni es draw i gefn y pafiliwn i gael paned a sgwrs efo rhai o swyddogion yr ŵyl, a hefyd y Fonesig Amy Parry-Williams, gweddw'r bardd. Ro'dd hi yno efo'i chwaer, ac ymddiheurodd na fyddai'n gallu cyflwyno'r fedal i mi'n bersonol ar y llwyfan gan ei bod yn fregus ei hiechyd, ond byddai hi a'i chwaer yn bresennol yn y seddi blaen yn ystod y seremoni. Trefnwyd y seremoni fel rhan o seremoni Cymru â'r Byd ac ro'dd llond llwyfan o Gymry o bedwar ban byd yn eistedd y tu ôl i mi ar y llwyfan, ac yn eu plith nifer o bobl o'r Wladfa. Mae'r fedal yn un hardd, ac ar ei hymyl mae'r geiriau: 'Diolch am destun diolch,' a llun o hen gartref T. H. Parry-Williams ar un ochr a phen y bardd ar yr ochr arall efo'r geiriau 'Medal Syr Thomas Parry-Williams er clod.' Trysoraf y fedal hon a theimlais hi'n fraint arbennig fy mod i wedi fy anrhydeddu ym mro fy nhad, o'dd yn frodor o Benrhyndeudraeth ger Porthmadog. Teimlais dipyn yn drist hefyd wrth feddwl nad o'dd fy rhieni'n dal yn fyw i weld eu mab yn derbyn yr anrhydedd hon a hwythau wedi bod mor daer i'm magu yn Gymro Cymraeg yn Rhiwbeina er

Derbyn Medal Goffa Syr T. H. Parry-Williams yn Eisteddfod Porthmadog – 1987

gwaethaf difrawder cymaint o Gymry Cymraeg tuag at yr iaith yn ystod fy mhlentyndod. Ymhen blynyddoedd wedyn fe'm hatgoffwyd o'r seremoni hon a hynny ym Mhatagonia!

Bob blwyddyn yn yr Eisteddfod Genedlaethol dyfernir gwobr i diwtor Cymraeg sydd wedi gwneud cyfraniad mawr i faes Cymraeg i Oedolion. Yn Eisteddfod Wrecsam 2011 cyflwynwyd tlws, a gwobr ariannol i mi yn rhoddedig gan Havard a Rhiannon Gregory er cof am Elvet a Mair Elvet Thomas a wnaeth gymaint o gyfraniad i faes dysgu'r Gymraeg fel ail iaith. Diwrnod y seremoni es i 'stafell yng nghefn y pafiliwn i aros i fynd ar y llwyfan, ac ar y funud olaf newidiwyd amser y seremoni a'i chynnal hanner awr ynghynt. Felly, cyflwynwyd y tlws i mi gan arweinydd llwyfan y pnawn hwnnw. Dychwelais i'r 'stafell, a phwy o'dd yno ond gwraig ffasiynol o'n i'n nabod, a dywedodd wrthyf ei bod yn aros i gyflwyno Tlws Havard a Rhiannon Gregory i'r enillydd! Bu'n rhaid i mi ddweud wrthi mai fi o'dd y person hwnnw a'i bod wedi cyrraedd yn rhy hwyr i'r seremoni! Druan ohoni gan fod neb wedi dweud wrthi am y newid yn y trefniadau!

Yna yn 2015 daeth pecyn yn y post gan Emyr Llywelyn, golygydd y cylchgrawn *Y Faner Newydd*, efo plac â llun telyn Geltaidd arni â'r geiriau 'Tlws Coffa Eirug Wyn' uwchben y llun, a'r geiriau 'Y Faner Newydd' o dan y llun. Ro'dd y plac i gydnabod fy ngwaith gwirfoddol dros y Gymraeg a'i diwylliant.

Uchafbwynt y flwyddyn i mi am flynyddoedd lawer o'dd mynychu'r Eisteddfod bob haf, a thros y blynyddoedd arhosais i mewn pabell, adlen carafán, yng nghefn fy Mini Traveller, carafán, gwesty, ysgol, bwthyn, tŷ ac ati! Yn ogystal â mwynhau cwmni ffrindiau yn yr eisteddfodau, bues i'n cystadlu efo Côr Aelwyd Caerdydd dan arweiniad fy ffrind Alun Guy, a Chôr Pensiynwyr Aelwyd Hamdden dan arweiniad Eilonwy Jones a fu'n athrawes gerdd yn Ysgol Gyfun Gymraeg Llanhari. Ro'dd o'n brofiad digon cyffrous i gystadlu ar brif lwyfan y pafiliwn.

Ro'n i'n bymtheg oed ym 1950 a dyna f'ymweliad cyntaf â'r Eisteddfod Genedlaethol, a hynny yng Nghaerffili. Ro'dd hi'n Eisteddfod arbennig gan mai yno y gweithredwyd y rheol Gymraeg am y tro cyntaf gan greu Eisteddfod gyfan gwbl Gymraeg sy'n parhau hyd heddiw. Enillydd y Gadair am ei awdl 'Molawd i'r Glöwr' o'dd y Parchedig Gwilym Tilsley a fu'n Archdderwydd ar un adeg.

Cyn Eisteddfod Caerfyrddin ro'n i'n swog yng Ngwersyll yr Urdd Glan-llyn, a chofiaf pawb yn dawnsio drwy'r wythnos i sŵn record Helen Wyn a'r Hebogiaid yn canu'r gân, 'Tydi Yw'r Unig Un i Mi', a record *Nia Ben Aur* a ryddhawyd wythnos cyn yr Eisteddfod. Enillodd Helen Wyn y gystadleuaeth *Opportunity Knocks* ac ar ôl hynny newidiodd ei henw i Tammy Jones a chafodd yrfa lwyddiannus iawn ym myd y canu ysgafn. Yna, wythnos yr Eisteddfod es i'r pafiliwn i weld perfformiad o'r opera roc *Nia Ben Aur* efo Heather Jones â'i llais pur yn swyno pawb fel y cymeriad Nia. Yn anffodus, digwyddodd nam ar y sain yn ystod y perfformiad ond serch hynny cafwyd noson wefreiddiol a phawb wrth eu boddau.

Cynhaliwyd yr Eisteddfod Genedlaethol ym 1973 yn Rhuthun lle enillodd y bardd Alan Llwyd y Goron a'r Gadair. Ro'n i a'm ffrindiau yn aros mewn carafán ar gae ffermwr ym mhentre Betws Gwerful Goch. Aethom i noson a drefnwyd gan Gymdeithas yr Iaith ym Mhafiliwm Corwen, sef Tafodau Tân efo amryw o artistiaid a grwpiau yn y byd canu pop yn perfformio, ond uchafbwynt y noson o'dd ymddangosiad y grŵp Edward H. Ro'dd y pafiliwn dan ei sang a phawb wedi weindio'n lân ac yn canu a dawnsio i'r gerddoriaeth. Am ryw reswm, un cof sydd gen i o'r noson o'dd gweld horwth o hogyn yn cario ei gariad dros ei ysgwydd a hithau'n hongian ben i lawr a'i gwallt hir bron â chyffwrdd â'r llawr! Ie, ro'dd y noson yn mhafiliwn Corwen yn ddigwyddiad cynhyrfus ac anhygoel!

Eisteddfod arall a ddaw i'm cof o'dd yr un a gynhaliwyd ym

Machynlleth pan berfformiwyd *Y Mab Darogan*, sef hanes Owain Glyndŵr gan Gwmni Theatr Maldwyn. Ro'dd y pafiliwn dan ei sang, ac ar ddiwedd y noson cododd y gynulleidfa luosog fel un i gydnabod camp y cwmni gyda'r perfformiad gwefreiddiol.

Adeg Eisteddfod Genedlaethol y Barri penderfynodd Bwrdd yr Orsedd estyn gwahoddiad i George Thomas, Ysgrifennydd Gwladol Cymru ar y pryd, i fod yn aelod o'r Orsedd – er mawr gwarth iddyn nhw gan fod y gŵr hwnnw'n elyniaethus tuag at y Gymraeg. Diwrnod ei urddo bu'n rhaid i Gwynfor Evans gydgerdded ag o ar draws y maes i'r seremoni i'w amddiffyn rhag y protestiadau a'r bwrw sen arno gan aelodau o Gymdeithas yr Iaith ac ati. Derbyniwyd George Thomas i'r Orsedd a pheidio gwahodd Gwynfor Evans yn ei dre enedigol i fod yn Llywydd y Dydd. Gwarthus o beth. Yn rhyfedd iawn o'n i wedi cael gwahoddiad i fod yn aelod o'r Orsedd yr un flwyddyn, ond ro'n i, fel pawb arall bron, yn gynddeiriog gyda phenderfyniad Bwrdd yr Orsedd ac felly gwrthodais y gwahoddiad, gan ddweud nad o'n i am ymuno â sefydliad o'dd yn croesawu gelyn yr iaith i'w plith.

Ond flynyddoedd wedyn, yn ystod fy nghyfnod yn dysgu Cymraeg yn y Wladfa, fe'm hurddwyd yng Ngorsedd Patagonia mewn seremoni yn y Gaiman – mewn parc newydd efo cerrig yr orsedd, a'm henw yn yr Orsedd honno ydyw Gwilym Caerdydd! Diwrnod y seremoni ymgynullodd aelodau'r Orsedd yng Nghapel Bethel gan orymdeithio oddi yno i'r parc. Cafwyd seremoni urddasol ac fe'm derbyniwyd i'r Orsedd gan Dewi Mefin Jones, yr Archdderwydd, o'dd â'i deulu'n hanu o Gwm Rhymni. Yn ystod y seremoni yn hytrach na chael y ddawns flodau arferol lluniwyd dawns arbennig ar gyfer grŵp o bobl ifanc o Goleg Camwy, ac yn wir, teimlais drueni ar y pryd nad o'dd neb yn bresennol o Orsedd Cymru i weld y newid hwn! Ar ddiwedd y seremoni, gorymdeithiom ni 'nôl i Gapel Bethel i gael te bach, ac yn ystod y daith 'nôl ro'dd nifer o bobl yn sefyll ar ymyl y ffordd i wylio pawb yng ngwisgoedd yr Orsedd. Wrth i ni basio criw o ddynion yn eu dillad gwaith â chapiau pêl fas ar eu pennau dyma nhw'n dechrau chwifio'u breichiau a gweiddi yn eu hacen Sbaeneg, 'Gwiiilym Gwiiilym!' Gofynnodd gwraig o'dd yn cydgerdded â mi pwy o'dd y dynion hyn, a minnau'n dweud wrthi mai dynion casglu sbwriel y dre o'n nhw, o'dd wedi dod i fy nabod wrth fy ngweld yn loncian bron bob bore o gwmpas y dre wrth iddyn nhw'n gasglu'r sbwriel!

'Nôl ym 1939, pan gynhaliwyd yr Eisteddfod Genedlaethol yn Ninbych, cynhaliwyd cyfarfod wedi ei drefnu gan R. Bryn Williams ac eraill i sefydlu Cymdeithas Cymru-Ariannin i gryfhau'r cysylltiadau rhwng Cymru a'r Wladfa i hybu'r iaith draw ym Mhatagonia. Un syniad o'dd sefydlu cystadleuaeth i wladfawyr yn unig yn y Genedlaethol, a syniad arall o'dd cynnal digwyddiad i ddathlu Gŵyl y Glaniad a chynnal pabell yn enw'r Gymdeithas ar faes yr Eisteddfod. Dros y blynyddoedd cynyddodd gwaith y Gymdeithas a dechreuwyd sefydlu canghennau mewn gwahanol rannau o Gymru. Y gangen gyntaf i'w sefydlu dan arweiniad Cathrin Williams o'dd Cangen Môn ac Arfon, a hynny 'nôl ym 1988. Yna, cyn cynnal yr Eisteddfod Genedlaethol yng Nghaerdydd yn 2008, penderfynodd Angharad Rogers – a fu'n athrawes yn y Wladfa am flwyddyn a minnau ei bod yn hen bryd i ni gael cangen o'r Gymdeithas yn y de, ac felly cynhaliwyd cyfarfod yn festri Capel Salem, Treganna, ar y 29ain o Ebrill i'w sefydlu. Daeth llond 'stafell ynghyd ac fe'm hetholwyd yn gadeirydd am y flwyddyn gyntaf, gydag Angharad Rogers yn ysgrifennydd a Bob Pugh yn drysorydd. Yna, ymgymerodd y gangen newydd â threfnu pabell i'r Gymdeithas ar faes Eisteddfod Caerdydd. Wedyn, ar y 31ain o Fawrth 2011 mewn cyfarfod yn yr Wyddgrug, sefydlwyd Cangen Clwyd i'r Gymdeithas, efo Richard Snelson yn gadeirydd. Dim ond y gorllewin o'dd heb gangen, ond ymhen amser symudwyd i sefydlu cangen yno hefyd. Go dda, yntê. Rhwng pawb mae achos y Wladfa'n cael digon o sylw.

Tybed beth fuasai barn R. Bryn Williams am sefyllfa'r iaith yn y wlad heddiw? Oherwydd 'nôl ym 1962, pan gyhoeddwyd ei gyfrol *Y Wladfa*, dywedodd ar ddiwedd y gyfrol, 'Peth peryglus yw proffwydo, ond credaf y derfydd y Gymraeg fel iaith ymddiddan yno ymhen chwarter canrif (1972!) ond bydd yno rai yn gallu ei siarad ymhen hanner canrif,' (2012!) Ie, peth peryglus ydy proffwydo achos heddiw mae'r Gymraeg yn dal yn fyw ac yn ffynnu draw yno, a llawer o bobl yn mynychu dosbarthiadau Cymraeg, yn cystadlu yn y gwahanol eisteddfodau, a channoedd o blant yn derbyn addysg Gymraeg/Sbaeneg yn y Dyffryn a'r Andes. Yr ysgol Gymraeg gyntaf i'w hagor o'dd Ysgol yr Hendre yn Nhrelew, yna Ysgol y Gaiman ac yna Ysgol y Cwm yn yr Andes.

Felly cefais aml i anrhydedd am fy ngwaith dros y Gymraeg gan y Brifysgol Agored a chan yr Eisteddfod Genedlaethol. Cefais anrhydedd gan Eisteddfod y Wladfa hefyd a chryfhaodd fy angerdd dros fod eisiau gweld y Gymraeg yn ffynnu yno hefyd, fel yn fy ardal fy hun.

17
Hanner Ffordd ar Draws y Byd

Bues i'n dysgu Cymraeg mewn tair ysgol gynradd yng Nghaerdydd sef, Ysgol Treláï, Ysgol Rhymni ac Ysgol Springwood yn Llanedeyrn. Ar ôl bod yn y gwaith am 31 o flynyddoedd penderfynais ymddeol yn gynnar ddiwedd tymor yr haf 1990, a minnau'n 55 oed erbyn hynny. Dywedais wrth bawb nad o'n i'n ymddeol go iawn, dim ond yn newid cyfeiriad, er nad o'dd gen i syniad ar y pryd beth o'dd hynny'n ei olygu mewn gwirionedd! Ond gwelais raglen ar y teledu yn sôn am ddysgu Cymraeg yn y Wladfa wnaeth ddangos grŵp o bobl ifanc mewn dosbarth yn Nhrelew. Fel y soniais eisoes ro'dd fy niddordeb yn y Wladfa wedi ei danio ers pan o'n i'n 16 oed ar ôl clywed Evan Thomas, golygydd papur newydd *Y Drafod* yn siarad mewn Noson Lawen yn Ysgol Cathays. Felly, wrth wylio'r rhaglen meddyliais y byddai'n syniad i mi gynnig fy ngwasanaeth i ddysgu Cymraeg draw yn y Wladfa a minnau'n ddyn rhydd bellach, a byw ar fy mhensiwn tra o'n i yno. Cysylltais â Shân Emlyn, ysgrifennydd diwyd Cymdeithas Cymru-Ariannin, a chynnig fy ngwasanaeth. Dywedodd y byddai'n ymgynghori â phwyllgor y Gymdeithas ac yn rhoi gwybod i mi beth fyddai'r ymateb.

Mis neu ddau wedyn cysylltodd Shân â mi i dderbyn fy nghynnig a gwnaethpwyd cais i'r Cyngor Prydeinig yng Nghaerdydd am gymorth ariannol i dalu am fy nhaith draw. Pan dderbyniais ymateb ffafriol a hael gan y Cyngor, ar ddiwedd Eisteddfod Genedlaethol yr Wyddgrug ym 1991, cychwynnais am y Wladfa gan hedfan o faes awyr Heathrow i faes awyr Caracas yn Venezuela, ac oddi yno i faes awyr Buenos Aires. Ro'dd hi'n daith hir iawn a meddyliais ar un adeg na fyddwn byth yn cyrraedd y pen draw! Ro'n i wedi prynu nofel arobryn Angharad Tomos yn yr Eisteddfod sef *Si Hei Lwli* ar gyfer y daith, ac yn wir erbyn cyrraedd Buenos Aires ro'n i wedi ei darllen! Rhoddais y nofel yn anrheg i'r person wnaeth fy nghyfarfod yn Buenos Aires.

Dywedodd Shân wrthyf y byddai rhywun yn fy nghyfarfod yn y maes awyr, ond nid o'dd syniad gen i pwy fyddai yno mewn gwirionedd. Cyrhaeddais faes awyr rhyngwladol Ezeiza yn gynnar ar fore Sul, ac ar ôl dod oddi ar yr awyren a chasglu fy nghês cerddais allan i wynebu cannoedd o bobl yn disgwyl eu hanwyliaid ac ati. Suddodd fy nghalon, ond yn sydyn gwelais ŵr ifanc ynghanol y dorf yn dal darn o bapur yn ei law a fy enw i arno. Rhuthrais tuag ato ac ro'n yn falch o'i glywed yn dweud: 'Croeso, Gwilym Roberts, Fernando Williams ydy f'enw i.' Un o Drelew o'dd o, ond yn astudio pensaernïaeth yn Buenos Aires ar y pryd ac wedi dysgu Cymraeg ar un o'r cyrsiau haf yn Llanbedr Pont Steffan.

Ro'dd rhaid dal y bws o'r maes awyr i ganol y ddinas ac ro'dd yn dal i fod yn dawel yno yn gynnar ar fore Sul. Aeth Fernando â mi i ardal Flores o'r ddinas ac yno ro'n i'n mynd i aros efo cwpwl o'r enw Eilir a Nellie Nichols o'r Gaiman gynt, ond yn byw yn y brifddinas ers tua deugain mlynedd. Ro'dd eu Cymraeg nhw'n dal yn gwbl rugl a derbyniais groeso cynnes ar eu haelwyd. Drannoeth ar ôl cyrraedd aeth Eilir a minnau ar drên tanddaearol i ganol y ddinas i brynu tocyn hedfan i mi o Buenos Aires i Drelew, taith o'dd yn para tua dwy awr. Deallais wedyn pe bawn wedi mynd ar fws byddai wedi cymryd tuag ugain awr! Cyrhaeddodd yr awr fawr a diolchais i Eilir a Nellie am eu caredigrwydd cyn ymadael o faes awyr Aeroparque, sef y maes awyr mewnol ar lan yr afon Plate. Sôn am afon, ro'dd hi fel môr! Llwyddais i gael sedd wrth y ffenestr ar yr awyren, ac felly wrth agosáu at Drelew ro'n i'n gallu gweld y ddinas yn y pellter ac fel o'dd yr awyren yn disgyn yn is ac is gallwn weld y ddaear oddi tanom gyda'r tirwedd yn arw a phlanhigion pigog yn tyfu ymhob man ynghanol y graean a'r tywod. Meddyliais yn sydyn am yr hyn a ddywedodd y cymeriad William Jones yn nofel T. Rowland Hughes pan welodd y Rhondda am y tro cyntaf: 'Y nefoedd, dyma le!'

Ro'dd maes awyr Trelew yn fach ond yn ddigon modern, ac eto, nid o'dd gen i syniad sut y byddwn yn teithio o'r maes awyr i'r Gaiman – ble byddwn i'n byw am flwyddyn. Yn sydyn, daeth gwraig i'r golwg a chyflwyno'i hun i mi yn Gymraeg fel Meira Jones. Ro'dd ei chwaer ar yr un awyren â mi ac felly ro'dd Luned Gonzáles, disgynnydd Lewis Jones a Michael D. Jones, wedi gofyn i Meira fy nghasglu o'r maes awyr. Cyfarfyddais â Luned am y tro cyntaf ar faes Eisteddfod Genedlaethol Cwm Rhymni pan ddaeth ataf ar faes yr ŵyl gan ddweud ei bod wedi fy ngweld yng Ngwersyll yr Urdd yng Nglan-llyn ychydig amser ynghynt pan o'dd hi a chriw o'r Wladfa wedi ymweld â'r gwersyll, a ninnau'r swogs wedi canu iddyn nhw. Ro'dd Luned ar y pryd yn brifathrawes ar Goleg Camwy, sef ysgol uwchradd yn y Gaiman a agorwyd am y tro cyntaf 'nôl ym 1906 pan o'dd yr addysg yn Gymraeg. Rhyfedd meddwl ein bod ni yng Nghymru wedi gorfod aros tan 1956 i gael addysg uwchradd Gymraeg pan agorwyd Ysgol Glan Clwyd yn y Rhyl! Dros y blynyddoedd, yn anffodus, trodd y coleg yn y Gaiman yn fwy Sbaenaidd a hepgorwyd y Gymraeg fel pwnc

Luned Gonzáles mewn dathliad yn Nhrevelin yn yr Andes 2012

gan gynnig Ffrangeg i'r disgyblion. Daeth tro ar fyd pan ddaeth Luned yn brifathrawes a dechreuwyd cyflwyno'r Gymraeg fel pwnc unwaith eto, a llawer mwy o'r disgyblion yn dewis astudio'r Gymraeg yn hytrach na Ffrangeg! Ystyrid Luned yn arweinydd y Cymry yn y Dyffryn, a bu'n gefnogol i bopeth Cymraeg ar hyd y blynyddoedd. Ro'dd gair Luned yn cyfrif!

Fe'm gyrrwyd i'm cartre am y misoedd nesa yn y Gaiman o'r maes awyr a phan gyrhaeddom y tŷ, meddyliais yn syth am ffilm gowbois gan fod yr adeilad yn un unllawr o friciau coch efo to sinc a thanc dŵr ar y to – dipyn yn wahanol i'm tŷ yn Rhiwbeina bell! Des i allan o'r car a daeth Tegai Roberts, chwaer Luned, ataf i'm cyfarch. Hi o'dd curadur yr amgueddfa fach yn y dre, a hefyd daeth cymeriad o'r enw Herbert Jones o'dd yn byw gyferbyn i'r golwg i'm croesawu. Nid o'dd o erioed wedi bod yng Nghymru, ond siaradai fel rhywun o Geredigion! Ro'dd y tŷ yn ddigon cysurus tu mewn efo cegin, 'stafell molchi, lolfa a dwy 'stafell wely a ffrij yn llawn o nwyddau megis wyau, llefrith, menyn ac ati – chwarae teg i bobl y Gaiman. Gadawyd fi wedyn i ddadbacio a chyrhaeddodd cymydog arall i'm croesawu sef Alwina Thomas, organyddes a blaenores yng Nghapel Cymraeg Bethel yn y Gaiman. Dros fy nghyfnod yn y wlad bu hi'n garedig iawn tuag ataf, a chefais sawl pryd o fwyd ar ei haelwyd. Yn hwyrach y diwrnod hwnnw aethpwyd â mi i Noson Lawen yn adeilad yr hen gapel, sydd wrth ochr capel newydd Bethel, a synnais i fod y cwbl yn Gymraeg a'r ysgoldy'n llawn. Disgwyliwyd i mi ddweud gair, a theimlais yn swil iawn yn sefyll ar fy nhraed i ddiolch iddyn nhw am y croeso.

Cefais i wythnos wedyn i baratoi a dod i nabod yr ardal cyn dechrau ar fy ngwaith o ddysgu Cymraeg yn y Dyffryn. Nid o'dd gair o Sbaeneg gen i, a dechreuais boeni sut ro'n i'n mynd i gyfathrebu â phawb, ond rhywsut, ar ôl tipyn o ddefnydd o'r geiriadur Sbaeneg, llwyddais. Dechreuais ddysgu yn y Gaiman, Dolavon, Trelew a Phorth Madryn ac yna yn hwyrach sefydlwyd dosbarth yn Rawson, sef prif dre weinyddol Talaith Chubut. Heblaw am y Gaiman wrth gwrs ro'dd rhaid i mi deithio ar fws i'r gwahanol ddosbarthiadau gan groesi'r paith o'dd yn ymestyn rhwng y gwahanol lefydd. Lwcus fy mod i'n iach o gorff gan ei fod yn straen teithio i bob man heb gar, ond mwynheais y gwaith yn fawr iawn ac ro'dd y bobl mor groesawgar a charedig.

Ro'dd trefn arferol y dydd yn wahanol iawn yno. Byddai pobl yn mynd i'r gwaith tua wyth y bore ac yn gweithio tan un, ac yna'n cael siesta neu ymlacio yn y pnawn cyn ailgydio yn y gwaith tua phedwar. Yn aml felly, byddai bywyd cymdeithasol pawb yn dechrau'n hwyr yn y nos. Pan ymunais â Chôr Cymysg yr Ysgol Gerdd yn y Gaiman dan arweiniad Marli Pugh, ro'dd eu hymarferion yn dechrau am naw o'r gloch! Ac ni fyddai llawer o fywyd yn y Dafarn Las tan tua hanner nos! Er mwyn cadw mewn cysylltiad â'r byd mawr, byddwn yn prynu papur Saesneg o'r enw *The Buenos Aires Herald*, ac ro'n nhw'n cyhoeddi canlyniadau'r gemau rygbi rhyngwladol ynddo! Cefais fenthyg radio gan un o'm cymdogion a byddwn yn gwrando ar y *World News*. Un noson, darllenwyd y newyddion gan Gymraes sef Gaenor Howells, merch yr Aelod Seneddol Rhyddfrydol yng Ngheredigion Geraint Howells!

Tua mis wedi i mi ymuno â Chôr y Gaiman dyma'r arweinydd yn cyhoeddi ein bod yn mynd i Drelew yr wythnos wedyn i gymryd rhan mewn cyngerdd. Cynhaliwyd y cyngerdd mewn campfa enfawr, ac er mawr syndod i mi, cefais i wybod bod pymtheg côr – ie pymtheg! – yn cymryd rhan. Noson y cyngerdd holais yr arweinydd pryd o'n ni'n cael canu, a chefais i wybod mai ni fyddai'r unfed côr ar ddeg i ganu! Dechreuodd y cyngerdd am naw a daeth i ben ymhell wedi hanner nos. Beth a'm synnodd fwyaf o'dd y ffaith fod y gynulleidfa i gyd wedi aros tan y diwedd! Ar ddiwedd y cyngerdd dyma Marli'n dosbarthu tocynnau swper i aelodau'r côr ac aethom ni i gyd i lawr y ffordd i ryw ysgol a chael ein croesawu yno gan ddynion mewn cotiau gwyn a theis bwa du, ac ro'dd pryd oer tri chwrs efo gwin yn barod ar ein cyfer! Sôn am anhygoel – tipyn o rialtwch ymhlith holl aelodau'r corau, a chafwyd canu a dawnsio conga o gwmpas y byrddau! 'Nôl wedyn i'r Gaiman a galw yn y Dafarn Las cyn cyrraedd 'nôl i Dŷ Camwy, fy nghartref am flwyddyn, a hithau wedi gwawrio erbyn hynny!

Un diwrnod, dyma rhywun yn Stryd Michael D. Jones yn sôn wrthyf bod hogyn yn gweithio yn y siop groser leol â diddordeb mewn dysgu Cymraeg, a'i enw o'dd Siôn. Felly, yn fy mrwdfrydedd es i chwilio amdano yn y siop ac yn fy Sbaeneg clapiog dyma fi'n sôn am, *classe de Galais* a chytunodd i ddod i'r dosbarth yng Ngholeg Camwy.

Siôn Dafis a minnau yn dathlu yn y Gaiman!

Bu'n ffyddlon iawn yn y dosbarth a darganfyddais nad Siôn o'dd ei enw iawn ond Juan Carlos Davies, ond erbyn hynny ro'n i wedi dechrau ei alw yn Siôn Dafis, a chydiodd yr enw.

Ar ddiwedd fy mlwyddyn gyntaf yn y Gaiman cytunais i ddychwelyd am flwyddyn arall dim ond i mi gael hoe o flwyddyn yn ôl yng Nghymru. Daeth Pedr MacMullen, athro Cymraeg yn sir Benfro, ond yn wreiddiol o Gaerdydd, i lanw'r bwlch, a pherswadiodd Siôn a dau o'i ffrindiau, sef Gabriel Restucha a Daniel Esgobar, i feddwl am ddod ar gwrs Cymraeg yn yr haf i Lanbed. Cytunon nhw i ddod a threfnwyd i mi a'm ffrind Huw Evans i fynd yn ei gerbyd 4x4 i'w cyfarfod ym maes awyr Heathrow, ac i ddod â nhw i aros efo mi am wythnos yn

Cyfarfod â Siôn, Gabriel a Danny o'r Gaiman ym Maes Awyr Heathrow

Rhiwbeina cyn mynd â nhw ar y cwrs yn Llanbed. Ond cafwyd tipyn o broblem yn y maes awyr gan fod pobl y tollau yn amau bod y tri yn dod i Brydain i chwilio am waith. Felly, daeth cyhoeddiad dros yr uchelseinydd yn gofyn i Gwilym Roberts ddod i Swyddfa'r Tollau! Ro'n i'n gallu gweld yr hogiau drwy wydr y swyddfa a chodais law arnyn nhw. Yna cefais fy holi gan y swyddogion ac wrth gwrs nid o'n nhw erioed wedi clywed sôn am y Wladfa Gymreig ym Mhatagonia. Ro'n nhw'n methu'n lân â deall bod y bechgyn hyn o'r Ariannin am ddod ar gwrs i ddysgu Cymraeg o bob iaith! Llwyddais i'w hargyhoeddi fod eu hymweliad ar gyfer dod yn rhugl yn y Gymraeg, a chawson nhw ymuno â Huw a minnau i ddod â nhw i Gaerdydd! Ro'dd y tri yn fath o foch gini, ond bu eu hymweliad yn llwyddiant, ac felly am flynyddoedd wedyn daeth criwiau o bobl ifanc o'r Wladfa i fynychu'r cyrsiau haf yn Llanbed. Yna, ymhen amser, daeth Gabriel Restucha yn faer y Gaiman ac yn athro Cymraeg yng Ngholeg Camwy, a Siôn Dafis yn diwtor Cymraeg yn ei fro.

Tref fawr ar lan môr yn Nhalaith Chubut ydy Comodoro, a dyma brif ganolfan y diwydiant olew yn yr Ariannin. Dros y blynyddoedd denwyd llawer o Gymry'r Wladfa i weithio yno gan fod y diwydiant olew yn talu'n dda i'r gweithwyr. Ymhlith y Cymry aeth i fyw a gweithio yno bu rhai fel Gwyn Rees ac Eilyw Pritchard a sefydlodd Ganolfan Gymraeg yno, sy'n dal ar agor hyd heddiw. Dychwelodd Gwyn i'r Gaiman yn y Wladfa ymhen blynyddoedd ac agorodd o a'i wraig Martha Dŷ Te Cymreig yno o'r enw Plas-y-Coed ger y parc ynghanol y dre. Daeth llawer o Gymry o'r hen wlad i aros yn y Plas ac yn eu plith o'dd Tom Gravell o Gydweli o'dd wedi gwirioni ar hanes y Wladfa, a bu'n aelod hael, ffyddlon a gweithgar o Bwyllgor Cymdeithas Cymru-Ariannin am flynyddoedd lawer. Arhosodd Eilyw a'i wraig Gwen yn Comodoro, a thros y blynyddoedd trefnwyd cyrsiau Cymraeg gan Eilyw a phob un yn gweithio fel wats gan ei fod yn drefnydd penigamp!

'Nôl ym mis Chwefror 1992 a minnau'n dysgu Cymraeg yn y Wladfa er 1991, daeth Jonathan Gravell, hogyn 18 oed ac ŵyr i Tom Gravell ar ymweliad â'r Gaiman, a threfnodd ei daid ei fod yn aros ym Mhlas-y-Coed. Yna, un diwrnod cysylltodd Gwyn Rees â mi i'm gwahodd i ymuno â Jonathan ac yntau ar daith i Comodoro i ddathliad yno yn y Ganolfan Gymraeg. Ar ôl aros noson yno, ymlaen â ni i dreulio noson neu ddwy yn Esquel yn yr Andes cyn dychwelyd i'r Gaiman. Ro'dd hi'n wyliau haf yn yr Ariannin ar y pryd ac felly ro'n i'n rhydd i fynd efo nhw. Ro'dd hi'n ddiwrnod chwilboeth y diwrnod yr aethom i Comodoro ar siwrnai o bum awr, gyda Jonathan yn gyrru. Wrth agosáu at y dre cefais gryn syndod i weld degau o beiriannau yn dowcio eu pennau i fyny ac i lawr fel asynnod ar y bryniau wrth godi'r olew o'r ddaear! Cawsom groeso twymgalon gan y criw o bobl o'dd wedi ymgasglu yn y Ganolfan Gymraeg, a Gwyn yn arbennig yn cael croeso tywysogaidd! Ro'dd y tywydd yn dal yn chwilboeth a minnau'n chwysu chwartiau yn y gwres. Cefais fy nghyflwyno i Eilyw Pritchard, ac ar ddiwedd y pnawn cafodd Gwyn, Jonathan a minnau wahoddiad 'nôl i'w dŷ i gael cwrw bach oer a chlonc. Wrth eistedd yno a phob ffenestr ar agor led y pen, cynigiodd Eilyw ddangos tâp o'r Eisteddfod Genedlaethol ac aeth at silff dan y set deledu o'dd yn llawn o dapiau a dewis un ar hap. Y peth nesa dyma fi'n gweld fy hunan ar y sgrin yn derbyn medal goffa Syr T. H. Parry-Williams ym Mhorthmadog yn ôl ym 1987! Ro'n i'n geg agored gan mai dyna o'dd y tro cyntaf i mi weld y tâp a hynny saith mil o filltiroedd o Gymru!

Unwaith trefnodd Eilyw Pritchard gwrs Cymraeg yn Comodoro a barodd am wythnos efo dwy wers y dydd, a chysylltodd â mi i ofyn i mi fod yn diwtor. Dyma 'Mini Wlpan yn Comodoro Rivadavia!' a chytunais ar unwaith. Cefais aros ar ei aelwyd o a Gwen ei wraig a siaradai Gymraeg hefyd er iddi gael ei magu mewn lle o'r enw Sarmiento yn Chubut. Daeth wythnos y cwrs o'r diwedd a phopeth yn drefnus fel arfer, ac ymunodd gŵr ifanc o'r enw Walter Ariel Brooks â'r cwrs. Un o Comodoro o'dd o, yn astudio yn Buenos Aires ond gartre dros wyliau'r haf. Sylweddolais yn fuan ei fod yn ieithydd ac yn dysgu'n gyflym, ac felly, ar ddiwedd yr wythnos soniais wrtho am y cwrs Cymraeg dwys o'dd yn digwydd ym Mhrifysgol Llanbed yng Nghymru yn yr haf. Dychwelais i Gymru erbyn yr haf a chysylltodd Walter â mi i ddweud ei fod yn dod i Lanbed! Trefnais iddo aros efo mi y penwythnos cyn dechrau'r cwrs a minnau wedyn yn ei yrru i Lanbed. Er mawr syndod i mi, ro'dd o'n gallu cynnal sgwrs yn Gymraeg, a hynny cyn mynd ar y cwrs! Ro'dd o wedi cael gafael ar y llyfr *Teach Yourself Welsh* 'nôl ym mis Chwefror ar ôl bod ar Gwrs Comodoro, a llyncu'r holl wersi, a buan iawn y daeth yn gwbl rugl ei Gymraeg. Ar ôl dychwelyd i'r Ariannin priododd â Geraldine Lubin yn Buenos Aires. Dychwelon nhw i fyw i Gaerdydd a bu Walter yn diwtor Cymraeg i oedolion ym Mhrifysgol Caerdydd am gyfnod cyn cael swydd yn y Cyngor Prydeinig yng Nghaerdydd. Bellach mae 'nôl yn gweithio ym Mhrifysgol Caerdydd. Daeth Geraldine – ieithydd arall – yn rhugl yn y Gymraeg a chafodd swydd yn dysgu Sbaeneg drwy'r Gymraeg i fyfyrwyr ym Mhrifysgol Abertawe. Pleser pur ydy clywed y ddau yn siarad ar Radio Cymru o dro i dro gan eu bod mor gartrefol yn siarad yr iaith. Mae dau o blant ganddyn nhw, sef Ioan Llŷr a Carys Olivia, a'r ddau'n derbyn addysg Gymraeg yn y ddinas. Trist ydy cofnodi bod Eilyw Pritchard, a wnaeth gymaint dros y Gymraeg yn Comodoro wedi marw'n 94 oed 'nôl yn 2022. Gwelir ei eisiau yn fawr yn Comodoro, mae'n siŵr.

Daeth fy ffrind Alun Guy draw i feirniadu yn Eisteddfod y Wladfa un tro, digwyddiad sy'n denu cannoedd o bobl bob blwyddyn. Cyn yr Eisteddfod gelwais amdano i fynd â fo ar y bws o Drelew i olwg cerflun yr Indiad o'dd yn sefyll ymhen draw y promenâd ym Mhorth Madryn. Mae'r cerflun yn un trawiadol ac yn portreadu Indiad yn edrych allan dros y môr.

Cerflun yr Indiad ym Mhorth Madryn sy'n edrych dros y môr

Tra o'n i'n sefyll yno, dyma gwpwl ifanc ar eu beiciau'n cyrraedd â'r ferch yn gweiddi, 'Iw hŵ, Mr Guy!' Pwy o'dd hi ond Gwenfair, merch Ethni a Michael Jones (Daniel gynt) a bu Alun yn ei dysgu yn Ysgol Glantaf! Daeth Gwenfair a'i phartner Hywel Griffith i'r Eisteddfod wedyn cyn mynd ar eu teithiau o gwmpas Patagonia! Mae'r ddau yn briod bellach ac yn gweithio i'r cyfryngau yng Nghaerdydd.

Cyn mynd i'r Wladfa ym 1991 mynychais Ŵyl y Glaniad a drefnwyd gan Gymdeithas Cymru–Ariannin yn y Bala a dod i nabod Dewi Mefin ac Eileen Jones o Drelew o'dd ar ymweliad â Chymru ar y pryd. Ro'dd teulu Dewi Mefin yn hanu o Gwm

Rhymni ac yn perthyn i Tomos Jones Rhymni a fu'n ysgrifennydd preifat i David Lloyd George, ac a sefydlodd Goleg Harlech lle bu nifer o ieuenctid y Wladfa'n derbyn ysgoloriaethau i astudio yno am flwyddyn. Eirene White o'dd enw merch Tomos Jones Rhymni, a bu hi'n weinidog y Blaid Lafur yn y Senedd yn Llundain ac yn Aelod Seneddol dros ran o sir y Fflint. Yn eironig nid o'dd gair o Gymraeg ganddi, er bod Dewi, ei pherthynas, wedi ei fagu yn y Wladfa ac yn siarad llond ceg o Gymraeg! Ro'dd Eileen wedyn yn hanu o deulu o'dd yn ffarmio yn Nantymoch cyn i'r argae gael ei godi ar y safle.

Er bod y Wladfa mor bell o bobman mae hi'n syndod faint o bobl sy'n ymweld â'r lle, ac un o'r ymwelwyr a fu yno o'dd y gwleidydd dadleuol Rod Richards, yn swyddog yn Llywodraeth y Blaid Dorïaidd yn Llundain. Fel rhan o'i swydd ymwelodd â Buenos Aires, cyn ymweld â'r Wladfa. Cafodd ei synnu fod cymaint o weithgareddau Cymraeg yn dal i ddigwydd yno a bod athrawon Cymraeg o Gymru yn gweithio'n wirfoddol yn y Dyffryn. Daeth 'nôl i Lundain, a rhywsut dyma fo'n dod o hyd i hanner can mil o bunnoedd i dalu am athrawon i fynd draw i'r Wladfa. Mae Llywodraeth Cymru a Chymdeithas Cymru-Ariannin yn dal i gefnogi'r cynllun hwn, ac mae cannoedd o bobl yn y Dyffryn a'r Andes yn elwa o'r Cynllun Dysgu Cymraeg hyd heddiw. Ro'dd hi'n amhosibl i mi fynd i'r Andes yn ogystal â'r Dyffryn, ac ar ôl i bobl yr Andes gwyno nad o'dd gwersi Cymraeg yno penodwyd athrawes frwdfrydig o'r enw Hazel Charles o Lanelli, i gyflawni'r gwaith. Cafodd hi ddylanwad rhyfeddol ar sefyllfa'r iaith yn yr Andes.

Cefais gyfarfod â sawl cymeriad difyr tra o'n i'n byw ac yn dysgu yn y Wladfa, a'r mwyaf hynod o'r rhain o'dd y brodyr Tommy ac Edmond Davies. Roeddynt yn byw mewn tŷ to mwd ar eu ffarm Hyde Park rhwng y Gaiman a Dolavon, a mawr o'dd y croeso bob tro yr ymwelais â nhw. Ro'dd Tommy yn ffraeth ei dafod ac yn rhoi gwên ar fy wyneb yn aml. Er nad o'n nhw

Y cymeriadau Tommy ac Edmond Davies, Hyde Park ger y Gaiman efo Siôn a Daniel

erioed wedi bod yng Nghymru siaradent lond ceg o Gymraeg. Ymfudodd y teulu o Gymru i Scranton, Pensylfania, gan fyw mewn rhan o'r dre a elwir yn Hyde Park, ac felly dyna'r esboniad am enwi'r ffarm yn y Wladfa yn Hyde Park. Coffa da am y ddau gymeriad hoffus hyn.

Ymwelydd arall â'r Gaiman o'dd y Dywysoges Diana, a chyrhaeddodd hi mewn hofrennydd o ryw estansia gan lanio ar faes pêl-droed y dre. Rhoddwyd croeso cynnes iddi, a bu plant y Cylch Meithrin Cymraeg yn y dre yn canu iddi cyn iddi fynd i Dŷ Te Caerdydd am baned a sgwrs. Cadwyd y cwpan a'r soser a ddefnyddiodd hi mewn cwpwrdd gwydr yn y Tŷ Te! Penderfynais beidio ymuno â'r cyffro ac arhosais gartre yn Nhŷ Camwy, ond daeth rhyw ohebydd i'r tŷ i holi fy marn am yr ymweliad. Gwrthodais ddweud unrhyw beth am y pwnc, dim ond sôn wrthi am yr ymdrechion i adfywio'r Gymraeg yn y Dyffryn.

Fisoedd wedyn ymddangosodd erthygl o eiddo Reuters

mewn papur newydd yn Ne Affrica yn sôn am ddysgu Cymraeg ym Mhatagonia. Nodwyd fy enw i yn yr erthygl gan sôn fy mod i'n dod o Gaerdydd. Yna, un diwrnod cefais lythyr wedi ei gyfeirio at 'Mr Roberts – in the Welsh Community of Patagonia' ac mae'n rhyfeddol i'r llythyr fy nghyrraedd! Ro'dd cyn-ddisgybl i mi o'm hamser yn Ysgol Trelái wedi gweld yr erthygl a dechreuodd ei llythyr ataf drwy ddweud: 'If you are the Mr Roberts of Cardiff who tried to teach me Welsh in Trelái many years ago...!' Madeleina Evans o'dd y wraig a chofiais hi gan ei bod yn digwydd bod mewn dosbarth yn yr ysgol o'dd yn dda iawn am ddysgu'r iaith! Cysylltais â hi, ac ar ôl dychwelyd i Gymru, cefais alwad ganddi'n dweud ei bod yn ymweld â'i mam yn Nhrelái ar y pryd a byddai'n hapus i gyfarfod â mi i sôn am y dyddiau difyr gynt!

Wedyn un bore Sadwrn agorais ddrws y tŷ a phwy o'dd yn sefyll yno ond y Parchedig Arthur Meirion Roberts o Bwllheli a fu'n pregethu yn y Dyffryn am rai misoedd, ac wrth ei ochr safai'r newyddiadurwraig enwog, Jan Morris! Ro'dd Arthur a Morfudd ei wraig yn ffrindiau efo Jan Morris a'i gwraig. Gwahoddais nhw i'r tŷ a buom yn sgwrsio dros baned o de, ond oherwydd treigl y blynyddoedd methaf yn lân â chofio beth oedd testun y sgwrs

Dro arall ro'n i'n digwydd bod yn cerdded tuag at y bont dros afon Camwy pan arhosodd tacsi gyferbyn â mi. Dyma'r gyrrwr yn croesi'r ffordd a holi ble o'dd y capel Cymraeg, a minnau, yn fy Sbaeneg clapiog, yn pwyntio ac yn dweud *Allá* ('draw'). Dyma'r cwpwl yng nghefn y tacsi yn dod allan ac yn croesi'r ffordd i siarad â mi. Ro'n i'n meddwl mai ymwelwyr o'n nhw a gofynnais eto yn fy Sbaeneg clapiog os o'n nhw'n gallu siarad Saesneg. Yna, edrychodd y dyn yn graff arnaf a dweud 'Gwilym Roberts!' a minnau'n edrych yr un mor graff arno fo ac yn dweud 'Tony Harries!' Ro'n ni'n gyfeillion yn Rhiwbeina ac o'n i heb weld ein gilydd ers dyddiau ein llencyndod! Ro'dd o a'i wraig ar un o'r llongau pleser o'dd yn galw ym Mhorth Madryn ac yn dod â llawer o deithwyr mewn bysiau i gael te Cymreig yn y Gaiman!

Ymwelwyr eraill â'r Gaiman o'dd Merêd a'i wraig Phyllis Kinney, ac Elinor Wigley y delynores. Pan ymwelais â'r Gaiman ar fy ngwyliau flynyddoedd yn ddiweddarach, ro'n i'n pasio bwyty ar fy ffordd 'nôl i'r Hen Bost, cartref fy ffrind Siôn Dafis, a dyma wraig o'dd yn eistedd yn ffenest yn amneidio arnaf. Nid o'dd syniad gen i pwy o'dd hi, ond es i mewn i siarad â hi. Ro'dd hi'n dod o Riwbeina ac wedi fy ngweld yn siopa yno! Rhyfedd o fyd, yntê!

Yn ystod fy mlwyddyn gyntaf yn y Wladfa dyma hi'n bwrw eira'n drwm un noson, a dyna'r tro cyntaf i bobl y Gaiman weld eira ers blynyddoedd lawer. Aeth disgyblion Coleg Camwy yn wirion gan chwarae yn yr eira, ond buan iawn y meiriolodd, er siom iddyn nhw. Dro arall caewyd yr ysgolion am ddiwrnod oherwydd i ludw o losgfynydd ar y ffin rhwng yr Ariannin a Chile gyrraedd y Dyffryn a throi'r awyr yn frown. Ro'dd tywydd Patagonia fel tywydd Cymru – yn gallu bod yn anwadal. Un tro pan o'n i'n digwydd bod gartre yn Nhŷ Camwy dyma storm o law yn taro a'i sŵn yn drymio'n galed ar y to sinc wedi codi ofn arnaf, a phan agorais y drws o'dd llif o ddŵr brown yn rhuthro heibio o'r bryniau i lawr y ffordd at yr afon. Bu llynnoedd o ddŵr o gwmpas y Gaiman a Threlew a gweddill yr ardal am wythnosau lawer o ganlyniad i'r storm honno.

Un tro tra pan o'n i'n dysgu yn y Wladfa penderfynais ymweld â'r Andes a threfnais i aros ar gyrion tre Esquel, yn llety gwely a brecwast Rini Griffiths, chwaer René Griffiths y canwr a'r actor. Es i liw dydd er mwyn mwynhau'r golygfeydd ar y daith o tuag wyth awr. Felly codais docyn bws yn Nhrelew a ches sedd wrth y ffenestr yn barod i fwynhau'r daith.

Dros y blynyddoedd dychwelais i'r Wladfa ar wyliau wedi fy nghyfnodau o fyw a dysgu yno, ac yn 2004 cefais gwmni fy

O flaen Tŷ Camwy yn y Gaiman cyn bo'r eira yn cyrraedd!

Yr eira wedi cyrraedd!

Rini Griffiths a minnau yn Esquel – 2006

ffrind, Huw Evans o Lanfyllin gynt, ac arhosom ni yn hen dŷ Moelona, chwaer Luned Gonzáles yn y Gaiman. Un diwrnod trefnais efo fy ffrind Siôn Dafis (Juan Carlos Davies), iddo fynd â ni am dro yn ei gar i Barc Cenedlaethol Penrhyn Valdez sydd i'r gogledd o Borth Madryn lle glaniodd y Cymry 'nôl ym 1865. Dim ond un ffordd sy'n arwain i'r parc ac ro'dd rhaid talu toll cyn cael mynediad. Aethom i bentre bach glan môr a'r enw Puerto Pirámides, sy'n boblogaidd iawn yn yr haf, a chael pryd o fwyd mewn bwyty ar lan y traeth, cyn mynd mewn cwch efo criw o blant swnllyd a chynhyrfus allan i'r bae i weld y morfilod. Buom ni'n lwcus a gwelsom sawl morfil yn rolio'n braf yn y dŵr, a hynny o fewn tafliad carreg i ni, a mawr o'dd y cyffro! Ro'n i eisoes wedi gweld morfilod yn y môr pan o'n i'n dysgu ym Mhorth Madryn ond dyma'r tro cyntaf i mi eu gweld mor agos. Ro'dd o'n brofiad rhyfeddol. Cyn gadael 'nôl am y Gaiman ro'dd rhaid i ni fynd i weld y pengwiniaid – cannoedd os nad miloedd ohonynt yn sefyll yn stond fel milwyr ar y traeth. Eto o'dd hon yn olygfa fythgofiadwy. Yna wrth gychwyn yn ôl o'r parc gwelsom ni ychydig o estrysiaid, ond ro'dd hi'n anodd eu gweld yn glir gan fod eu plu'n cydweddu â'r tirwedd. Cafwyd taith i'w chofio i Benrhyn Valdez mae'n rhaid dweud.

Ymddiddorais yn fawr yn hanes y Wladfa, a threuliais amser difyr iawn yno gan wneud cyfeillion arbennig yn ystod fy ymweliadau – rhai ohonynt wedi dysgu'r Gymraeg ac wedi dod yn arweinwyr yn eu gwahanol feysydd. Braf gweld y Gymraeg yn dal i ffynnu yno, a hynny'n gymdeithasol drwy gyfrwng gweithgareddau Cymraeg a hefyd, drwy gyfrwng addysg Gymraeg. Yn wir, mae'r brwdfrydedd gan y Cymry yno'n heintus!

18
Amser Hamdden

Ar hyd y blynyddoedd roeddwn i wrth fy modd yn nofio a chwarae tennis, ond ar ôl gwylio Marathon Llundain dechreuodd fy niddordeb mewn rhedeg. Yng Nglan-llyn cododd swog ifanc o'r enw Eirian Williams o'r Wyddgrug a minnau'n gynnar un bore a loncian o'r gwersyll i lawr at gerflun O. M. a Syr Ifan ab Owen Edwards yn y pentref ac yn ôl i'r gwersyll cyn brecwast. Digon hawdd o'dd loncian i lawr i'r pentre ond ro'dd y ffordd yn ôl i'r gwersyll yn dringo, ac erbyn cyrraedd ro'n i wedi diffygio gan nad o'n i erioed wedi rhedeg o'r blaen! Ond dyma ddal ati am weddill yr wythnos, ac yna, ar ôl dod 'nôl adre i Gaerdydd, penderfynais roi'r gorau i chwarae tennis a chanolbwyntio'n llwyr ar y rhedeg. Gosodais nod i mi fy hun, er 'mod i bron yn hanner cant oed erbyn hyn – ro'n i am redeg Hanner Marathon Caerdydd ym mis Medi 1986. Wel, dyna beth o'dd profiad! Daeth diwrnod y ras a minnau'n sefyll

Hanner Marathon Caerdydd gyda Huw Llywelyn Davies

Hanner Marathon Caerdydd

yng nghanol y cannoedd ar Heol y Gogledd yn disgwyl sŵn y canon i ddynodi dechrau'r ras! Daliaf i gofio'r olygfa pan o'n i wedi cyrraedd y *flyover* yn Gabalfa efo cannoedd o'm blaen a channoedd y tu ôl i mi, a'r gwynfyd pan lwyddais i orffen y ras mewn amser da, sef awr a 46 munud, a chael medal am fy ngwddw fel pawb arall a orffennodd y ras!

Un haf pan o'n i'n aros ym Mhenrhyndeudraeth penderfynais redeg o Benrhyndeudraeth i Finffordd ac ar draws y Cob i Borthmadog ac ymlaen i Dremadog, gan droi i'r dde yn y sgwâr a rhedeg i Bont Aberglaslyn, a thros y bont i Lanfrothen ac yn ôl i Benrhyndeudraeth! Sôn am gamp! Dro arall, rhedais o Benrhyndeudraeth i Lanfrothen, ac yna i Groesor a thros y mynydd i Faentwrog ac yn ôl i Benrhyn ar hyd y ffordd fawr!

Cydiodd y chwiw rhedeg ynof o ddifri, a daliais i redeg yn ystod yr holl amser a dreuliais yn y Wladfa. Ond daeth fy ngyrfa redeg i ben yn hollol annisgwyl pan o'n i'n 68 oed. Es i allan un bore Llun i redeg, ac o fewn pum munud es i'n fyr o anadl. Dychwelais i'r tŷ a theimlo'n well. Yna, ro'n i'n ddigon gwirion i geisio rhedeg eto ar y bore Mercher canlynol a digwyddodd yr un peth eto. Trefnais i weld y meddyg a chael gwybod fy mod i'n dioddef o angina – minnau'n credu fy mod i'n iach gant y cant! Bu hynny'n dipyn o siom i mi. Cefais weld y meddyg yn yr hydref a chael fy rhoi ar restr aros i weld arbenigwr yn Ysbyty'r Brifysgol. Ond erbyn y Nadolig nid o'dd gair wedi dod o'r ysbyty ac felly dyma ffonio i holi'r sefyllfa. Cefais wybod y byddai chwe mis cyn i mi allu gweld arbenigwr, ac felly penderfynais fynd yn breifat, a thelais am hynny ym mis Ionawr. Dywedodd yr arbenigwr fod angen llawdriniaeth arnaf cyn gynted â phosib, ac o fewn dim cefais i lawdriniaeth dan y GIG yn hytrach nag yn breifat dan anaesthetig lleol yn Ysbyty'r Brifysgol i gael stent. Parodd y llawdriniaeth ddwy awr ac ro'n i'n gallu gwylio'r cyfan ar sgrin uwch fy mhen yn y theatr! Daeth yr arbenigwr i'm gweld drannoeth y llawdriniaeth a dywedodd fod un o'm gwythiennau wedi cau 90 y cant ond fod popeth yn iawn bellach ac y gallwn ystyried ailgydio yn fy rhedeg! Y diwrnod wedyn ro'n i'n gallu cerdded allan o'r ysbyty yn ddyn iach unwaith eto. Er i mi gael iechyd da wedi hynny, mewn sbel cefais wybod bod angen *pacemaker* arnaf i! Wnes i ddim ailgydio yn y rhedeg wedi hynny, ond dechreuais nofio wedyn deirgwaith yr wythnos er mwyn cadw fy ffitrwydd.

Yn ogystal â rhedeg pan o'n i yn fy neugeiniau, wrth sgwrsio uwchben coffi efo dwy ffrind i mi – sef Lis Shore a Margaret Thomas – dyma nhw'n sôn am rinweddau gwneud yoga fel ffordd o ymlacio ynghanol fy mhrysurdeb. Dangoson nhw ambell ystum i mi a phrynais lyfr am yoga a datblygu cyfres o ystumiau gan ddechrau gwneud tua ugain munud i hanner awr o ymarferion bob bore wrth godi o'r gwely. Yna clywais am ddosbarth yoga drwy'r Gymraeg yn Ysgol Glantaf dan arweiniad Falmai Evans, gwraig yr athro a'r llenor Bernard Evans a rhieni yng nghylch Meithrin Rhiwbeina flynyddoedd cyn hynny. Teimlais dipyn yn swil wrth ymuno â'r dosbarth gan fod y mwyafrif o'r aelodau'n wragedd! Ond daliais ati a dysgu cryn dipyn drwy fynychu'r dosbarth. Daliaf i wneud yoga bob bore, ac yn sicr mae hyn yn gymorth i mi gadw rhag cloi yn fy henaint! Un digwyddiad doniol a ddigwyddodd i mi wrth wneud yoga o'dd pan o'n i'n aros efo fy ffrindiau Siôn Dafis a Rebeca White yn eu cartref yn yr Hen Bost ar Stryd Michael D. Jones yn y Gaiman yn y Wladfa. Bob bore byddwn yn aros yn y gwely nes i'm ffrindiau a'u merch Nia fynd i'r ysgol a'r gwaith er mwyn peidio â bod o dan draed. Ond gwnaethant anghofio dweud wrthyf bod glanhawraig yn dod i'r tŷ unwaith yr wythnos. Felly un bore – a minnau erbyn hyn yn fy nhrôns mewn ystum yoga lle'r o'n i'n sefyll ar fy ysgwyddau a phedlo fy nghoesau yn yr awyr – dyma ddrws fy 'stafell wely'n agor a'r lanhawraig yn sefyll yno'n syn wrth weld yr olygfa! Yna caeodd y drws yn glep a'm gadael innau'n chwerthin! Wn i ddim pwy gafodd y sioc fwyaf, hi neu fi!

Felly, rhwng y chwarae tennis, nofio, gwneud yoga, loncian ac ati, mae ceisio cadw'n heini wedi bod yn bwysig i mi ar hyd fy oes. Yn ychwanegol at y pethau hyn ro'n i wrth fy modd yn cerdded mynyddoedd, a phan o'n i ar fy ngwyliau ym Mhenrhyndeudraeth cerddais i ben y Cnicht, Moelwyn Mawr, Moelwyn Bach, a'r Wyddfa wrth gwrs, a Moel Gest. Yno, cwrddais â hogyn o'r enw Davyth Fear o'dd yn athro Daearyddiaeth yn Ysgol Ardudwy, a hynny ar gwrs penwythnos i ddysgwyr yr iaith dan nawdd Cymdeithas yr Iaith yng Ngwersyll yr Urdd Glan-llyn. Ro'dd Davyth, oedd yn dod o Gernyw yn wreiddiol ar y cwrs er mwyn gwella'i Gymraeg. Ro'dd o wrth ei fodd yn mynydda ac felly dechreuom fynd i gerdded ym mynyddoedd Eryri gan gynnwys dringo i ben Tryfan. Rhaid bod yn dipyn o afr i ddringo'r mynydd hwnnw, ac ar y copa mae dwy garreg fawr a elwir yn Adda ac Efa, a'r gamp yn ôl y sôn, yw neidio o un i'r llall.

Fy ffrind Davyth Fear yn Eisteddfod Porthmadog 1987 efo record bop a gynhyrchodd erbyn yr Eisteddfod

Ro'dd Davyth yn llawer mwy mentrus na mi, a phenderfynodd roi cynnig arni a minnau'n ei wylio'n bryderus rhag ofn iddo syrthio. Ond cyflawnodd y gamp yn llwyddiannus wrth i mi gael traed oer a gwrthod mentro! Buom ni hefyd yn cerdded yn Ardal y Llynnoedd, sy'n ardal hyfryd a hardd, ac uchafbwynt yr ymweliad hwnnw o'dd dringo llwybr caregog a serth a elwid yn Jacob's Ladder. Yn anffodus, mae fy nyddiau cerdded y mynyddoedd ar ben bellach – henaint ni ddaw ei hunan.

19
Pen-blwydd Hapus, Gwilym!

Yn ystod f'oes ymwelais â Lloegr, yr Alban, Cernyw, Iwerddon, Denmarc, Portiwgal, Gwlad Belg, Llydaw, Groeg, yr Ariannin, Venezuela, Chile ac ym mis Medi 2005, ymwelais â Chanada diolch i haelioni Spencer Parker o'dd yn ffrind bore oes i mi. Ro'dd Spencer yn byw yn y stryd nesa ataf yn Rhiwbeina nes iddo fynd i Brifysgol Bryste i astudio Daearyddiaeth cyn mynd i ddysgu yn Llundain. Priododd yno efo Pat o dras Gwyddelig ac yna ymfudo i Kingston, Ontario lle bu'n dysgu Daearyddiaeth mewn ysgol uwchradd yn Kingston nes iddo ymddeol. Dethlais fy mhen-blwydd ym mis Chwefror 2005, ac fel anrheg prynodd Spencer docyn hedfan i mi o faes awyr Caerdydd i faes awyr Toronto. Synnais mai dim ond chwe awr gymerodd y daith, a llai na hynny ar y ffordd yn ôl gan fod y gwynt o'm plaid!

Fy ffrind bore oes Spencer Parker yn Kingston, Ontario – 2005

Derbyniais groeso hyfryd gan Spencer a Pat a chefais ymweld â Thoronto ac Ottawa a mynd ar deithiau ar lyn Ontario ac afon St Lawrence. Bu'n rhaid mynd i ymweld â Rhaeadrau Niagra – o'dd yn olygfa ryfeddol a sŵn dwndwr y miloedd o alwyni dŵr yn arllwys i lawr yn wych. Safom ar bromenâd o'dd yn fy atgoffa

Ymweld â Rhaeadrau Niagra – 2005

Dwy ynys ar afon St Lawrence.
Un yn yr Unol Daleithiau a'r llall yng Nghanada – 2005

o'r prom ym Mhenarth, ond y siom wedyn ar ôl i ni adael y prom a chyrraedd stryd yn llawn o gerddoriaeth aflafar a murluniau lliwgar o'dd yn atgoffa rhywun o Ynys y Barri! Tra ro'n ni'n teithio ar afon St Lawrence, o'dd bron fel môr, gwelsom ddwy ynys fechan efo pont yn eu cysylltu, ac yn ôl yr hyn a ddeallais ro'dd un ynys yng Nghanada a'r llall yn yr Unol Daleithiau!

Un diwrnod aethom am dro yn y car i dreulio'r dydd yn Ottawa, y brifddinas. Cyn ymweld â'r Senedd-dy a'i dŵr uchel dyma grwydro o gwmpas marchnad awyr agored efo stondinau o bob math. Sylwodd un stondinwr ar fy nghap efo'r ddraig goch arno a holodd a o'n i'n dod o Gymru! Yna, dywedodd ei fod yntau wedi bod yng Nghaerdydd ac yn aros ym Mharc Fictoria wrth ymweld â'i chwaer o'dd yn astudio ym Mhrifysgol Caerdydd! Sôn am fyd bach! Yna aethom mewn lifft i ben tŵr y Senedd i edmygu'r gwahanol olygfeydd cyn ymweld â'r amgueddfa a chael tynnu fy llun wrth ochr gŵr yn y *Mounted Police* a rhyfeddu at neuadd yn llawn o bolion totem yr Indiaid.

Fi yn yr Amgueddfa yn Ottawa – 2005

Wrth ymweld â Thoronto aethom i grwydro canolfan siopa anferth cyn mynd i gael pryd o fwyd mewn bwyty anarferol. Bu'n brofiad dieithr i mi – wrth fynd i mewn i'r bwyty roeddem yn derbyn hambwrdd a darn o bapur ac yna'n rhydd i fynd o un stondin i'r llall i ddewis ein bwyd. Wrth i ni ddewis, byddai'r stondinwr yn 'sgrifennu pris y bwyd ar y darn papur, ac wedyn wrth y til ar y ffordd allan ro'dd rhaid talu, ond ro'n nhw'n ychwanegu TAW at y bil! Aethom hefyd i ardal Tsieineaidd y ddinas a ni o'dd yr unig wynebau gwynion ar y strydoedd!

Mwynheais fy arhosiad yng Nghanada yn fawr, ac ro'dd y bobl yn groesawgar a'r wlad yn lân heb unrhyw graffiti i'w weld yn unman. Dychwelais adre'n llawen, ond och a gwae – ychydig fisoedd wedyn cefais lythyr gan Pat, gwraig fy ffrind Spencer, yn dweud ei fod yn wael iawn yn yr ysbyty efo llid yr ymennydd ac ychydig ar ôl hynny, bu farw. Ro'dd yr ymadrodd 'ni wyddom na'r dydd na'r awr' yn dod i'm meddwl wrth dderbyn y newyddion trist.

Yn ystod 1992/3 bu cwmni teledu Tir Glas yn paratoi rhaglen o'r enw *Pen-blwydd Hapus* ar gyfer ei dangos ar S4C. Recordiwyd y rhaglenni gryn dipyn cyn eu darlledu, ac ro'dd 'na dipyn o gyfrinachedd ynglŷn â'r gyfres. Dewiswyd nifer o unigolion i ymddangos ar y rhaglenni heb iddynt gael gwybod unrhyw beth am y cynlluniau o flaen llaw, ac felly bob tro, byddai'r unigolion hynny – gan fy nghynnwys i – yn cael eu dal yn hollol annisgwyl.

Cefais fy nhwyllo gan ferch o'r enw Rhiannon o'dd yn gyn ddisgybl i mi yn Ysgol Trelái. Ro'dd hi'n gweithio yn y dderbynfa yn adeilad yr YMCA yn y ddinas. Ar y pryd ro'dd gen i ddosbarth Cymraeg wythnosol yno bob nos Fawrth ar gyfer nifer o gynghorwyr y brifddinas. Daeth Rhiannon ataf un tro a gofyn am newid noson y dosbarth am unwaith gan fod arolygwyr yn dod yno i adolygu'r gweithgareddau. Holodd o'n i ar gael nos Wener y 12fed o Chwefror, sef noson fy mhen-blwydd yn 58 oed. Cytunais, fel colomen, â'r trefniant gan nad o'dd bwriad gen i ddathlu'r flwyddyn honno! Dyma fi'n cyrraedd y dosbarth ar y nos Wener – noson fy mhen-blwydd – ac ar ôl croesawu pawb dyma fynd ati i gyflwyno'r wers. Ond yn sydyn dyma'r drws yn agos a phwy gamodd drwyddo ond y cyflwynydd Arfon Haines Davies a dyn camera wrth ei sodlau. Edrychais yn syn a dywedodd Arfon: 'Pen-blwydd, hapus Gwilym!' Ro'dd y dosbarth i gyd yn gwybod am y cynllwyn a buon nhw'n chwerthin a churo dwylo!

Ar ôl mynd adre yn fy nghar i newid, cefais fy nghludo mewn car arall i gyfeiriad y dre, ond eto nid o'dd syniad gen i i ble o'n nhw'n mynd â mi! O'r diwedd dyma'r car yn aros o flaen yr Hen Gyfnewidfa Lo ym Mae Caerdydd! Cefais fy arwain i'r neuadd yn yr adeilad a'r lle yn llawn o ffrindiau, teulu (o'n nhw'n rhan o'r cynllwyn hefyd!) a chyn aelodau o hen gôr Aelwyd yr Urdd yn fy nisgwyl. 'Steddais ar soffa debyg i'r un ar *Pnawn Da* a *Heno* ar S4C ac yna ymddangosodd nifer o bobl i'm cyfarch. Yn eu plith ro'dd yr athletwr rhyngwladol, Colin Jackson, efo neges ar sgrin, oherwydd i mi ddysgu'r Gymraeg iddo yn Ysgol Springwood yn Llanedeyrn. Hefyd, Christine Jones a fu ar y cwrs Wlpan cyntaf yng Nghaerdydd, a chanodd Heather Jones gyfieithiad Cymraeg o'r gân 'Summer Time', a hithau wedi bod yn aelod o'r Aelwyd.

Yn goron ar y noson cerddodd cwpwl o'r Gaiman yn y Wladfa i'r 'stafell yn cario *poncho* i mi. Trefnwyd i Derwyn a Falmai Thomas hedfan yn uniongyrchol o Batagonia i fod yn rhan o'r noson! I gloi'r rhaglen cododd tua hanner cant o gyn aelodau hen gôr Aelwyd yr Urdd ar eu traed i ganu cân o'n i'n gyfarwydd â hi, sef, 'O Gylch yr Orsedd' gan J. Morgan Nicholas dan arweiniad Alun Guy a David Hamley wrth y piano. Cefais innau gopi o'r gân a chael sefyll yn y rhes flaen yn gwisgo'r *poncho* i ganu efo nhw! Cafwyd parti wedyn a rhaid i mi gyfaddef mai dim ond brith gof sydd gen i o gyrraedd adre'r noson honno ar ôl profi noson anhygoel ar fy mhen-blwydd!

Dathlu fy mhen-blwydd yn 80 yn nhafarn y Deri, Rhiwbeina

20
Pen y Dalar

Mae pen y dalar yn y golwg, a minnau wedi crwydro i bob cyfeiriad wrth edrych yn ôl dros ysgwydd y blynyddoedd. Cefais fywyd hir a phrysur, ac oni bai am orfod cael stent a rheolydd calon, a sgriw yn fy mhenelin chwith yn ystod fy nhaith bywyd, gallaf fod yn ddiolchgar am iechyd i gyflawni'r hyn a lwyddais i wneud dros y Gymraeg. Mae'r iaith yn dal i ffynnu ac mae cannoedd, os nad miloedd o bobl yn gweithio drosti mewn sawl mudiad, cymdeithas, ardal ac ati. Ond i mi, y ddau fudiad pwysicaf yn y frwydr iaith yw'r Urdd a'r Mudiad Meithrin achos heb blant a phobl ifanc yn arddel yr iaith nid oes dyfodol iddi. Mae fy nghyfeillion yn y Wladfa ym Mhatagonia wedi deall hynny hefyd, a hwb i'r galon ydy gwybod bod tair ysgol Gymraeg/Sbaeneg yn trosglwyddo'r iaith i gannoedd o

Ceri, Sally a Bethan fy nhair nith o flaen eu tŷ 'Pant yr Awel' ym Mhentyrch

Fy mam a'm tad gyda Ceri, eu hwyres gyntaf

Priodas fy mrawd Wynn yng Nghaerdydd 1958

ddisgyblion yn y Dyffryn a'r Andes. Mae'n rhaid ein bod ni fel cenedl yn bobl benderfynol ac ystyfnig – llwyddom i gadw'r iaith yn fyw ar hyd y canrifoedd er gwaethaf popeth!

Cafodd fy mrawd Wynn a minnau ein geni a'n magu yng nghyffiniau Caerdydd pan nad o'dd bri ar yr iaith. Ond arhosodd ein rhieni'n ffyddlon a'n codi'n Gymry Cymraeg a rhaid mynegi fy malchder oherwydd iddyn nhw ddal ati er gwaethaf y sefyllfa. Magodd fy mrawd dair o ferched, sef Ceri, Sally a Bethan i siarad yr iaith, ac maent oll wedi derbyn addysg Gymraeg, nid fel fy mrawd a minnau. Maent hwythau bellach yn magu eu plant yn Gymry Cymraeg ac felly teimlaf falchder fod fy nheulu wedi aros yn ffyddlon i'r iaith o genhedlaeth i genhedlaeth yng Nghaerdydd.

Mae'r dyfodol yn ansicr i bawb ond rhaid byw mewn gobaith y bydd ein hiaith annwyl a'i diwylliant yn parhau – 'cenedl heb iaith, cenedl heb galon'.

Priodas Amber fy ngor-nith yn 2022 hefo Angela, Bethan, Ceri a minnau

Angela, gwraig Wynn yn dathlu ei 90 yn Awst 2023 gyda'i merched Ceri, Sally a Bethan

Angela hefo ei merch Sally, ei hwyres Amber a'i gorwyres Esme Mair

Gwobr Goffa Aled Roberts 2024

Yn 2024, cyflwynodd y Ganolfan Dysgu Cymraeg Dlws Coffa y cyn aelod Cynulliad a chyn Gomisiynydd y Gymraeg, Aled Roberts, i unigolyn sydd wedi gwneud cyfraniad gwirfoddol nodedig i'r sector dysgu Cymraeg i Gwilym Roberts am ei gyfraniad yn y maes.

(Llun: Newyddion S4C)